EXCELSIOR

Léonce de Larmandie

Copyright pour le texte et la couverture © 2023 Culturea
Edition : Culturea (culurea.fr), 34 Hérault
Contact : infos@culturea.fr
Impression : BOD, Norderstedt (Allemagne)
ISBN :9791041831838
Date de publication : juillet 2023
Mise en page et maquettage : https://reedsy.com/
Cet ouvrage a été composé avec la police Bauer Bodoni
Tous droits réservés pour tous pays.

A l'auteur de la Décadence Latine.

A l'écrivain catholique, aristocratique et indépendant.

A
JOSÉPHIN PÉLADAN
TÉMOIGNAGE DE SYMPATHIQUE ADMIRATION

PREMIÈRE PARTIE

LE DÉDAIN DE LA FEMME

Race trop haute

I

QUATORZE ANS

La scène est au petit séminaire de Saint-Yrieix (Haute-Vienne), dirigé par les R. P. P. Jésuites. Le révérend père Fugères, professeur de rhétorique, pour délasser ses jeunes disciples d'une laborieuse explication de Tacite, interroge les meilleurs élèves de la classe sur les carrières futures qu'ils comptent embrasser.

—Voyons, Laflaquière, que voulez-vous être un jour?

Un petit bonhomme grêle et chétif, déjà voûté, prédestiné aux pantoufles et aux lunettes, répondit d'une voix aigrelette: Huissier près le tribunal de paix, comme papa.

—Voilà un voeu facile à contenter; et vous, Coquardot?

—Militaire,—rugit un gros garçon trapu, à la mine rébarbative,—comme mon père.

—Cela vous honore. Et vous, Carcasset?

Un fort en thème, assez malpropre et ne rappelant en rien Antinoüs, anonna sentencieusement:

—Géomètre arpenteur, comme l'auteur de mes jours.

—Vous êtes mesuré dans vos désirs; et vous, Beaussillon?

—Je compte entrer dans les ordres, mon Révérend Père, soupira d'un ton mystique un grand gaillard, maigre et pâle avec de longs cheveux.

Une voix satirique ajouta de façon à être entendue de tous: «Comme celui qui m'a engendré.»

Un éclat de rire s'éleva. Le P. Fugères devint très rouge, fixa des yeux terribles sur le malencontreux souffleur et lui cria rageusement: M. de Mérigue, venez tout de suite devant ma chaire, vous y resterez debout, les bras croisés, jusqu'à la fin de la classe.

L'élève interpellé obéit nonchalamment en haussant les épaules. Le professeur reprit avec une expression dédaigneuse:—Et vous, monsieur qui vous moquez d'une façon si inconvenante de vos camarades les plus méritants, voudriez-vous nous faire part de vos projets d'avenir!

Tous les collégiens, voyant l'un d'entre eux sur la sellette, le fixaient avidement pour jouir de son embarras.

—Je veux être empereur, répliqua Jacques de Mérigue, en levant orgueilleusement sa grosse tête ébouriffée.

Un hurrah de surprise railleuse salua cette réponse inattendue.

—Empereur... de quoi?...

—Empereur du monde.

—Ah!... rien que cela?...

—Pardon! j'enverrai des ballons à la conquête des étoiles...

—Pas mal... allez à votre place, je vous pardonne en faveur de l'originalité de vos vues.

—Et puis, vous pourriez aussi faire taire tous ces huissiers et tous ces géomètres qui ricanent sottement, dit Mérigue.

—Respect à Sa Majesté, messieurs! exclama le jésuite avec beaucoup de gravité.

II

LE REPAIRE NOBLE

Malgré de remarquables aptitudes et un amour profond des choses littéraires et artistiques, Jacques de Mérigue, trop rêveur et trop fantaisiste, n'avait jamais moissonné beaucoup de lauriers en papier vert aux distributions de prix; ses maîtres l'avaient cependant toujours considéré comme un sujet hors ligne tout en l'accablant de punitions et de remontrances en raison de son caractère indomptable. Il justifia pleinement leurs appréciations en enlevant dès sa quinzième année son baccalauréat ès-lettres, tandis que ses heureux émules de classe échouaient pitoyablement.

On le dirigea vers les mathématiques qu'il exécrait. Son amour-propre le fit triompher de ses répugnances, et, à dix-sept ans, il était bachelier ès-sciences avec la mention *très bien*.

Son père, ivre de joie, parla incontinent de l'école polytechnique. Jacques grogna longtemps, finit par se soumettre, et parvint à force d'énergie à posséder la *triple x* et les dérivés comme un vieux *taupin* des lycées de Paris. Arrivé à l'examen devant M. Toumard, le célèbre et grincheux interrogateur, il fut malmené avant d'avoir ouvert la bouche pour sa façon incorrecte de prendre la craie. Comme il s'excusait en maugréant déjà, son terrible juge lui dit: «Parlez plus haut, monsieur, pour que l'on entende vos sottises!» Mérigue se retourna, pâle comme un suaire, et riposta d'un voix retentissante: «Parlez plus bas pour que l'on n'entende pas les vôtres!»—Il fut exclu du concours et se mit à l'étude du droit. Mais sa famille était nombreuse et pauvre; impossible de pourvoir convenablement à son entretien dans la capitale. Jacques, qui adorait les siens, commença par employer toute son énergie à se priver de tout, à vivre de rien. Puis, un certain jour, la protection d'un ami puissant lui valut l'entrée au ministère des cultes en qualité d'expéditionnaire et aux appointements de 1200 francs. «Me voici en route pour la conquête des étoiles», écrivait-il à son père le soir de sa nomination. Et il se voyait déjà chef de service, sous-secrétaire d'État, ministre. Malheureusement pour lui, il avait la république en exécration, et arrivait tous les jours au bureau avec une énorme fleur de lys à sa cravate. Il battit des mains au 16 Mai, et se fit une réputation méritée d'enragé réactionnaire. Aussi ne tarda-t-il pas à être révoqué quelques mois après l'échec de la tentative conservatrice, et se trouva-t-il, à vingt-cinq ans, sans ressources et sans position sur le pavé inhospitalier de Paris.

Il se mit à faire des vers, probablement pour continuer sa marche vers les astres.

La famille de Mérigue fut atterrée à la nouvelle de la mesure qui frappait son représentant.

Le lendemain du jour fatal, nous trouvons le père, la mère et leurs trois filles, tristement assis dans la pièce délabrée qui servait de salon à la pauvre maison tout en ruines.

Le vieux Mérigue, vif et plein d'ardeur, prompt à toutes les illusions, faisait diversion à son chagrin par des interjections d'espérance: «Je n'ai aucune inquiétude pour l'avenir. Jacques est un garçon hors ligne, il arriva à tout, à tout, entendez-vous, mes enfants.

—Mon ami, soupira madame de Mérigue, un ange de piété et de douceur, il faut prier le bon Dieu et s'en rapporter à sa sainte volonté. Il n'abandonnera certainement pas notre pauvre enfant.

Marianne, la fille aînée, le type achevé du dévouement et de l'abnégation, hochait la tête tristement. Elle dirigeait le ménage depuis de longues années et, avec les ressources les plus exiguës, faisait face à toutes les nécessités à force de travail, d'esprit de suite et de privations personnelles. Sa vie pénible et terre à terre l'avait imprégnée de sens pratique.

—Notre cher frère, dit-elle après une pause, aurait peut-être mieux fait de se tenir tranquille, on n'abdique pas ses opinions parce qu'on les garde au fond de son coeur... Marianne, à ces mots, fut brusquement interrompue par sa cadette, Mathilde, souverainement exaltée en politique comme en religion.—Par exemple!... C'est son plus beau titre d'honneur... tu voudrais peut-être qu'il eût consenti à garder le silence devant les actes de ce gouvernement infâme... lui!... un Mérigue... un fils des Croisés!...

A ce moment, la plus jeune des soeurs de la victime, Jacqueline, qui avait toujours été sa préférée, ayant participé à tous les jeux et à tous les rêves de son enfance, embrassa le vieux Mérigue sur les deux joues en disant: «Papa a raison. Jacques parviendra... il ramènera le roi sur le trône. Il sera ministre d'Henri V, vous verrez!...

—A la bonne heure, s'écria le père. Voilà le cri de mon sang... bien parlé, fillette.

—Sans doute, observa Marianne, mais en attendant, comment vivra-t-il?... Nous ne pouvons rien lui envoyer... C'est le dénûment!

—S'il pouvait songer à offrir ses souffrances au bon Dieu, hasarda la sainte mère...

—Mais enfin, dit Mathilde, le parti royaliste est riche, il ne laissera pas dans la misère un coreligionnaire aussi méritant... On va se disputer l'honneur de lui trouver une position.

—Il la conquerra, affirma le père.

—Comme les étoiles!... murmura Marianne pensive.

—Et puis, continua le chef de la famille, Jacques se mariera... brillamment... splendidement... il sera riche.

—Précisément, dit Jacqueline, il m'écrivait l'autre jour qu'il avait vu à l'église Sainte-Radegonde, une jeune fille admirablement jolie qui avait paru le considérer attentivement.

—Quand on est en présence de Dieu, observa Mme de Mérigue, on ne doit penser qu'à lui.

—Mais enfin, reprit l'aînée, comment voulez-vous qu'il se marie?—Quelle dot apportera-t-il à l'opulente héritière qu'il *convoite*? L'usufruit du quart de nos dettes...

—Que dis-tu, ma fille? exclama le vieux Mérigue, il apportera un nom sans tache, aussi vieux que la chevalerie française, une glorieuse suite d'aïeux illustres, un alliance avec les Montmorency pendant la guerre de Cent-Ans... une intelligence... un coeur... une grande destinée...

—Et pas d'argent, pas de situation...

—Et l'alliance avec les Montmorency pendant la guerre de Cent-Ans?...

—Mieux eût valu une alliance avec les Rothschild à l'époque de Waterloo...

—Quelle horreur! s'écria Mathilde en levant les bras. Avoir de l'or fluide au lieu de sang dans les veines, plutôt mendier... plutôt mourir!

—Mais, reprit Jacqueline, si cette jolie jeune fille faisait toujours attention à lui, il pourrait faire une visite à sa famille.

—J'aimerais bien mieux, dit Mme de Mérigue, qu'il allât voir ce bon abbé de la Gloire-Dieu qui le confessait autrefois quand il était sage!...

—Et la conclusion pratique de tout cela, dit Marianne, positive...

—D'abord, répliqua le vieux Mérigue, écrivons-lui, ça lui fera du bien au coeur.

—Mettons tous un petit mot, proposa Jacqueline, qu'il sache que nos pensées ne le quittent pas!

Si nous commencions tout de suite? A toi, papa.

M. de Mérigue trempa nerveusement sa plume dans un vieil encrier qui traînait sur la table, et traça ces mots:

«Mon cher enfant,

«Courage! courage! pas de défaillances. Tu as devant toi un magnifique avenir. L'accident que tu as éprouvé est sans portée... et n'infirme pas dans le coeur de ton père l'inébranlable foi qu'il a dans le travail et l'énergie de son fils, du représentant de son nom glorieux. Nous t'embrassons tous.

«JOSEPH, COMTE DE MÉRIGUE.»

Madame de Mérigue ajouta:

«Mon fils bien-aimé,

«Reconnais la main de Dieu dans le coup qui te frappe et reviens franchement à lui. Confie-toi à sa divine providence, et songe bien que rien n'arrive dans ce monde sans son ordre ou sa permission. Nous pouvons tout avec son secours. S'il nous abandonne, nous sommes impuissants. Prie-le avec ferveur et écoute les conseils de ta mère qui pense toujours à toi.

«CAROLINE DE MERIGUE, NEE DE BARAT.»

Marianne prit la plume.

«Mon cher frère,

«Il est temps que tu te mettes à réfléchir d'une façon pratique et sérieuse. Si le malheur qui t'arrive te faisait abandonner tes rêves de grandeur, je le bénirais mille fois. Tu es intelligent et bien portant, tu as tout ce qu'il faut pour acquérir une position solide et honorable. Fais des efforts dans ce but et renonce aux chimères qui ont obsédé ta jeunesse. Tu sais bien que ce langage m'est dicté par ma raison et ma fraternelle amitié.

«MARIANNE.»

Mathilde griffonna impétueusement:

«Mon bien cher Jacques,

«Je suis fière de ta disgrâce. Tu es tombé en combattant le bon combat, quand même tu ne te relèverais pas, ce serait un éternel honneur pour toi et pour nous. Restons ce que nous sommes, dussions-nous mourir de misère. Vive le roi!...

«MATHILDE.»

Jacqueline clôtura ainsi la soirée des épîtres:

«Mon petit Jacques,

«Moi, je suis tout à fait de l'avis de papa qui n'a aucune crainte pour ta situation future. J'ai tressailli d'espérance quand j'ai lu dans ta dernière lettre, qu'une jeune fille du grand monde avait paru faire attention à toi... Comme je vais prier le bon Dieu pour que tu puisses conquérir cette étoile!... en attendant les autres... Je t'embrasse de tout mon coeur.

«JACQUELINE.»

Maintenant, insinua Mme de Mérigue, si nous faisions notre prière du soir?...

III

AU CINQUIÈME

93, rue des Saints-Pères. En attendant l'heure propice pour la conquête des étoiles, Jacques de Mérigue s'est logé au cinquième étage, au-dessus de l'entresol, le plus près possible de son futur empire céleste. Son appartement se compose d'une chambrette et d'une petite entrée mesurant à peine un mètre carré, le tout loué moyennant 400 francs par an, à l'époque de sa prospérité relative, lorsqu'il gagnait 100 francs par mois. Le mobilier de la chambre se compose en premier lieu d'un lit de fer, d'une telle étroitesse que les amis du locataire le qualifient de certificat de bonne vie et moeurs; on voit ensuite deux chaises de paille grossière, une table boiteuse et une commode en bois blanc. Sur la cheminée une photographie du comte de Chambord non encadrée et souillée de poussière, s'appuie au socle d'une petite lampe à pétrole. L'âtre ne possède pas de chenets, ces ustensiles ne servant point aux personnes qui se passent de feu. Le plafond de la pièce est naturellement très bas et très sombre, il semble vouloir écraser la tête du jeune homme, et étouffer ses élans vers l'idéal. Jacques vient de recevoir la lettre où tous les membres de sa famille ont voulu lui rappeler leur affection inaltérée. Il abandonne pour quelques instants son grand poème *La Rédemption des damnés*, sur lequel il compte pour faire un pas dans le chemin de la gloire. Il parcourt rapidement les quatre premières parties de l'épître et s'arrête longuement aux dernières lignes tracées par sa chère Jacqueline, qui font allusion «à la belle demoiselle de Sainte-Radegonde...» —Si j'y allais ce soir, se dit-il. Il y a une cérémonie en l'honneur du carême... Elle m'a bien regardé l'autre jour!... Si on voit des rois épouser des bergères, le contraire peut évidemment arriver... enfin allons-y. Cela me fera toujours passer quelques bons moments, et puis la vue de cette face rayonnante m'inspirera pour mes vers.

Jacques descendit quatre à quatre ses cent vingt marches, et enjamba en dix minutes l'espace qui le séparait de l'église. La nuit était close, il entra par une des portes latérales et se dirigea vers la chapelle du fond, noyée dans une douce pénombre où flottait un brouillard d'encens.

Soudain, il s'arrêta brusquement, comme hypnotisé par une vision. Elle était là. Gracieusement agenouillée de façon à faire ressortir le contour élégant de son corps, la tête légèrement inclinée et à demi cachée dans ses mains, elle paraissait poursuivre une prière monotone, vaguement troublée par une rêverie amoureuse... Un imperceptible sourire plissait de temps à autre ses lèvres fines, puis survenait un mouvement de tête destiné sans doute à chasser une obsession doucement importune. Mais le sourire allait toujours s'accentuant et les mouvements de résistance, s'atténuaient de minute en minute. Mérigue toussa maladroitement. La belle nymphe se redressa sur le champ, aperçut son contemplateur, et, de ses yeux profonds et noirs, lui envoya un regard pareil à un coup de lance. Le pauvre Jacques, anéanti, s'appuya à une colonne pour ne pas tomber, et laissa choir sa canne, qui, rebondissant sur le pavé sonore, produisit en plein *tantum ergo*, un cacophonie scandaleuse.

Du coup Mlle *** éclata de rire, en dépit d'efforts héroïques, et laissa voir à l'expéditionnaire révoqué deux rangées de dents éclatantes, belles à tenter les lèvres des anges. Mérigue tressaillit longuement troublé jusqu'au plus profond de ses sens et de son âme. Se voyant en veine de commettre des bourdes, il prit assez d'empire sur lui-même pour tourner les talons et se retirer. Au moment où il poussait la portière de velours, il jeta comme Orphée un regard en arrière, et rencontra cette fois un visage où la gaîté et le courroux avaient fait place à une vague expression de pitié.

—Oh! se dit Jacques en entendant son coeur battre une charge frénétique, elle m'aimera! Elle m'aime! Et une rage lui vint de savoir le nom, la famille, la maison et la situation de celle qu'il appelait déjà sa bien-aimée... Comment s'y prendre?... L'attendre et la suivre à la sortie de l'église? Oh! non jamais! Si on s'en apercevait!... S'il recevait encore un de ces coups d'oeil formidables comme lorsqu'il avait toussé d'une façon si inopportune.

Plutôt ne jamais rien savoir que d'exciter encore son mécontentement... A qui s'adresser?...

Évidemment, c'était une personne du grand monde, de cette société supérieure, où il brûlait d'entrer, mais qui ferme généralement ses portes aux employés de ministère... même destitués... Une idée?... s'il interrogeait un prêtre? Le clergé a toujours un libre accès auprès des plus opulentes familles... Eh bien!... ce bon vicaire de Saint-Barthélémy auquel il se confessait jadis.... Cet excellent abbé de la Gloire-Dieu... si prôné par tout pour l'austérité et la dignité de sa vie... il devait connaître tous les grands noms celui-là... Comment n'y avoir pas songé plus tôt?...

Le bon vicaire, par affection pour son ancien pénitent, pourrait peut-être lui donner des indications précises... des conseils sur la façon d'agir... qui sait?... un secours tout-puissant.

Jacques se mit presque à courir plein d'émotions de tout genre et d'espérances bizarres... A huit heures et demie du soir, il frappait au presbytère de Saint-Barthélémy.

IV

L'ABBÉ DE LA GLOIRE-DIEU

L'abbé Christian de la Gloire-Dieu, premier vicaire à Saint-Barthélémy, était effectivement, et sous tout rapport, l'ecclésiastique le plus distingué et le plus justement apprécié des quatre paroisses aristocratiques du noble faubourg. C'était un prêtre dans toute la force auguste et grave de l'expression. Très sévère pour lui-même, son austérité à l'égard des autres était tempérée par un grand souffle de douceur et de compassion. Toutes ses ressources passaient aux malheureux, et il savait toujours découvrir les plus méritants, les plus timides, les plus dénués. Sa chambre ressemblait à la cellule d'un chartreux, sauf qu'elle était plus grande et plus froide. Un immense crucifix de bois noir en était le seul ornement. Sa vie était celle d'un solitaire de la Thébaïde. Donnant à peine cinq heures au sommeil, une demi-heure en tout à ses deux repas, il consacrait tout le reste de ses journées aux travaux et aux fatigues du saint ministère. Sa piété, sa charité et son zèle, le mettaient prodigieusement en vue et on parlait fort peu du curé l'abbé Vaublanc, excellent prêtre, un peu fatigué, et du deuxième vicaire, l'abbé Marquiset trop superficiel dans ses relations et trop recherché dans son élégance. L'abbé de la Gloire-Dieu avait failli être nommé curé de Sainte-Radegonde, mais comme le succès va plus souvent à l'intrigue qu'à la vertu, on lui avait préféré l'abbé Roubley, un bon prêtre, sans doute, mais un de ces ecclésiastiques trop ambitieux et trop habiles pour être entièrement sympathiques. L'abbé de la Gloire-Dieu, universellement connu dans le monde, y jouissait d'une autorité et influence considérables. L'immense majorité des dames et des jeunes filles du faubourg affluait à son confessionnal. Non que les défauts ou les légèretés de ces nobles pénitentes trouvassent en lui un censeur indulgent, mais il avait le secret de subjuguer ces âmes hautaines par la chaleur et l'entraînement de sa foi.

—Bonjour, monsieur l'abbé.

—Tiens! mon cher Jacques, c'est vous! D'honneur le plaisir de vous voir ne m'était pas échu depuis de long mois...

—Deux ans à peu près, monsieur l'abbé, mais j'ai pensé que vous ne m'en voudriez pas pour cela.

—Dieu m'en préserve, mon enfant, puis-je quelque chose pour vous être agréable?

—Oui, monsieur l'abbé. Vous savez ma révocation?

—Sans doute, Jacques. Elle vous honore.

—Mais elle me ruine... pour le moment, et je voudrais vous prier de m'aider à trouver quelque chose...

—Tout mon pouvoir, qui n'est pas bien grand, est à votre service, quel genre d'occupations désirez-vous?

—Mon Dieu! monsieur l'abbé, je serais volontiers professeur libre, mais j'ai en ce moment l'esprit occupé d'une autre idée; je voudrais me marier.

—Cette pensée est des plus louables.

—Le jour où vous avez remplacé M. le curé de Sainte-Radegonde pour le catéchisme de persévérance, j'étais dans cette église... une des jeunes filles qui suivaient l'instruction vous a remis à la sortie une aumône probablement considérable, dont vous l'avez beaucoup remerciée... je l'ai vue deux fois et je lui ai voué un amour immense, je crois qu'elle y répond... mais voyez la malechance, je ne sais pas seulement son nom... je voulais vous prier de me l'apprendre, excusez mon indiscrétion.

L'abbé de la Gloire-Dieu ouvrait la bouche pour demander à son interlocuteur s'il était fou, quand il sentit que cette prodigieuse naïveté était entièrement franche et convaincue. Il ne sourit même pas, son visage revêtit au contraire une expression de tristesse.

—Mais, mon bien cher Jacques, reprit-il, on me remet tous les jours des aumônes, il m'est impossible de savoir à qui vous faites allusion, de plus il s'agit certainement d'une personne fort riche, appartenant à une grande famille et fiancée à l'heure qu'il est, n'en doutez pas. Dans le monde les mariages se décident souvent fort longtemps d'avance. Je vous engage à ne plus penser à cela et à étouffer un sentiment qui ne peut que vous infliger des souffrances morales. Songez d'abord à une situation... Je m'offre à vous en faciliter la recherche. Revenons à cette idée de professorat dont vous me parliez tout à l'heure. Voulez-vous que je vous recommande au père Coupessay, directeur du collège Oratorien de la rue de Monceau?

Mérigue avait compris à l'accent du prêtre que le désir manifesté par lui était chimérique et même un peu ridicule. Il avait trop d'opiniâtreté pour y renoncer, mais il fut profondément humilié de l'accent de pitié qu'il avait découvert dans les paroles de l'abbé. Aussi se contenta-t-il de répondre à l'offre de celui-ci par un «oui, monsieur, je veux bien» un peu indifférent et assez dépité.

—J'écrirai ce soir même, répliqua le vicaire et vous irez voir le Révérend Père après demain. Adieu, mon enfant, et tout à votre service pour ce qui dépendra de mes faibles moyens.

Jacques s'éloigna la rage au coeur. Comme il remontait précipitamment la rue du Bac, il se sentit frapper amicalement sur l'épaule. Il se retournait plein d'humeur, quand il se trouva en face du seul ami intime qu'il possédât à Paris, le jeune baron de Sermèze, fort riche, fort lancé, dont il avait fait la connaissance par hasard dans un musée, et qui s'intéressait à ses productions littéraires.

—Eh bien! mon pauvre vieux, exclama le baron d'une voix bonne enfant, c'est comme cela que tu passes devant les amis sans crier gare?

—Tiens, dit Mérigue, je te rencontre à propos.

—Qu'y a-t-il pour ton service?...

—Une chose très simple; je voudrais savoir le nom d'une jeune fille ravissante qui va tous les soirs au salut à Sainte-Radegonde et qui se tient près du pilier gauche de la chapelle de la Vierge.

Sermèze partit d'un éclat de rire.

—Toujours tes ambitions impériales, pauvre fou!...

—J'ai lieu de croire qu'elle m'a remarqué, et, entre nous, si je pouvais un jour... arriver à en faire...

—Ta maîtresse?...

—Ma femme.

—Je croyais que ta folie était bénigne, elle est furieuse, mon cher...

—Tu ne veux pas me procurer ce renseignement?

—Oh! que si fait... si cela suffit à ton bonheur, donne-moi deux jours...

—Je t'en donne quatre.

—C'est trop de moitié.

—Va, cher, je te revaudrai cela. Adieu!...

—Tu me quittes ainsi?

—Oui, excuse-moi, je n'ai pas la tête bien libre.

—Je suis trop poli pour te contredire. Au revoir.

Deux jours après Jacques de Mérigue recevait l'épitre suivante:

«Mon cher aliéné,

«Tu as tout bonnement jeté ton dévolu sur Mlle Blanche de Vanves; charmante, spirituelle, un million de dot. Toutes mes félicitations pour ton bon goût. Renseignements complémentaires: vingt ans d'âge. Domicile: Hôtel Soubise, 85, rue Saint-Dominique (ne va pas y demander une chambre, entre parenthèse). Le jour de ton départ pour Charenton, fais-moi l'amitié de me prévenir.

«Tout à toi,

«SERMEZE».

P. S. Mlle de Vannes est fiancée depuis un mois au duc de Largeay.

V

CANDIDAT

Mérigue, la tête dans ses mains, avait laissé tomber son porte-plume sur une page de son grand poème la *Rédemption des damnés*. «Blanche de Vannes,» se disait-il en lui-même, «Hôtel Soubise... un million de dot... et moi, dans une mansarde, avec soixante-dix francs de fortune... Ah! si j'étais seulement célèbre dans les lettres, dans la politique... personne n'a voulu imprimer mon dernier manuscrit, ces pauvres *Jacinthes et Pervenches*. Ma *Rédemption* aura-t-elle plus de succès! si je pouvais me présenter à la Chambre ou même au Conseil municipal de Paris. Je percerais, bien sûr. Ah! oui, on parlerait de moi. Il y a précisément un siège vacant au Pavillon de Flore... Mais que faire avec soixante-dix francs, juste ce qu'il faudrait pour m'en retourner chez moi, en laissant ici deux cents francs de dettes. Partirai-je? Ah! dix ans de souffrances m'ont bien mérité quelque repos? mais mon pauvre père, ma mère, mes soeurs, qui ont placé en moi tout leur espoir; et le nom que je dois représenter et relever, et le vieil orgueil qui a été ma viande et mon vin quand je mangeais du pain sec en buvant de l'eau claire. Non, je ne capitulerai pas. Il y a quelque chose dans ma tête comme dans celle d'André Chénier. Si je dois succomber, je veux que ce soit ici, sur la brèche, glorieusement et non aux lieux où fut mon berceau. Blanche de Vannes... O rage!... Allons, descendons des hauteurs du rêve dans la fange de la réalité. Il me reste soixante-dix francs. Si je n'ai pas d'ici huit jours une position quelconque, il ne me reste plus que le dépôt de mendicité ou... oh! non, pas cela, j'aime trop ma mère. Allons voir ce P. Coupessay.

Et Jacques se dirigea vers le collège de la rue de Monceau. A peine eut-il franchi le seuil de l'établissement qu'il se rencontra nez à nez avec un religieux de haute taille, vêtu avec une certaine élégance et portant à ses chaussures des boucles d'argent.

—Vous désirez, monsieur?...

—Voir le R. P. Coupessay, mon père.

—Le connaissez-vous, monsieur?

—Non, mon père.

—Eh bien! c'est moi, monsieur.

—Enchanté, mon père.

—Je vous écoute, je n'ai qu'une seconde...

—Veuillez m'excuser, mon père...

—Allez, allez, monsieur, dépêchons-nous, il y a cinq dames qui m'attendent au parloir.

—Vous avez dû recevoir une lettre de recommandation, me concernant et émanant de M. l'abbé de la Gloire-Dieu?...

—Ah! Oui... La Gloire-Dieu... La Gloire-Dieu...

—Je désirerais donner des leçons dans votre établissement.

Le P. Coupessay qui jusqu'alors avait affecté de ne pas regarder le jeune homme, le toisa dédaigneusement de la tête aux pieds. Il ne prit point garde à l'expression énergiquement intelligente du postulant et remarqua seulement ses habits râpés et ses bottines éculées... Il répondit sèchement: «Impossible... impossible. Mes cadres sont complets... vous repasserez.» Et il tourna prestement les talons pour entrer au parloir où plusieurs dames se précipitèrent vers lui avec une série de frou-frous retentissants. Mérigue en sortant put entendre ces bouts de phrases: Mon Révérend Père... — Bien chère madame...—Cuistre! murmura-t-il en haussant les épaules, et il regagna la rue des Saints-Pères. Après avoir réintégré son domicile, il mangea un petit pain avec deux ronds de saucisson et avala une gorgée d'eau à son broc. Il appelait cela dîner. Comme il achevait son festin de Balthazar, un violent coup de sonnette retentit à sa porte! C'était son ami le baron de Sermèze.

—Bonne nouvelle! cria tout d'abord le baron en serrant vigoureusement la main de Jacques.

—Blanche?... fit celui-ci avec un tressaillement.

—Imbécile! reprit Sermèze, je vais m'en aller sans te rien dire, si au moment où je viens te faire les propositions les plus importantes et les plus sérieuses, tu me préviens en me jetant à la tête tes chimères stupides.

Tiens, tu me parles de Blanche; c'est le docteur du même nom qui devrait s'occuper de toi.

—Après?...

—Tu es un triple idiot.

—Nego, après?

—Veux-tu te présenter au conseil municipal?

Mérigue bondit en ouvrant de grands yeux.

—Réponds donc, grand nigaud.

—Eh bien, oui, pardié, mais comment?...

—Voici, et ne m'interromps pas, surtout; figure-toi pour un moment que tu es Cinna et que je suis Auguste. Tu sais qu'il y a un siège vacant au Conseil?

—Oui.

—Chut!... précisément dans le quartier Saint-Barthélémy.

—Oui.

—Chut!... tu sais qu'il y a un comité royaliste?

—Oui.

—Chut! te dis-je. Eh bien, ce comité est composé de très braves gens, d'une honorabilité parfaite et qui n'a d'égale que leur incapacité. Pour t'en donner une idée, ils ne songent point à présenter de candidat, bien qu'ils aient toutes les chances pour eux.

—Les crétins! fit Mérigue.

—Chut, reprit le baron. Tu n'es pas respectueux, mais tu es véridique. Enfin, il se trouve parmi eux un petit vieux moins momifié que les autres et qui s'appelle le vicomte d'Escal. Il est affligé de cent mille francs de rente.

—Il ne doit pas invoquer de consolatrice, alors.

—Tais-toi, bavard. Ses collègues ne le prennent pas au sérieux, ce dont il rage considérablement. Pour leur faire pièce, il veut susciter à lui seul et, bien entendu, à ses frais, une candidature royaliste. Il m'a demandé si je connaissais quelqu'un, je lui ai répondu: «J'ai votre affaire.» Eh bien?

—C'est entendu.

—Mais tu sais, il faut se hâter, la proclamation doit être affichée cette nuit.

—Ah!

—Chut... Le vicomte a une petite imprimerie à ses ordres qu'on appelle: La Presse de Saint-Pierre. Il met tout sur l'heure à ta disposition; pas de maladresse au moins, si tu réussis, ta fortune est faite.

—N'aie pas peur, dit Jacques, en jetant à son horrible plafond un regard de défi; j'ai pu être impuissant et gauche, dans les circonstances banales de la vie terre à terre, mais qu'une occasion digne de moi se présente et tu verras que ton ami le rêveur était fondé à se croire quelqu'un et quelque chose. Quant à toi, mon cher, je t'aimais déjà bien, désormais, c'est entre nous à la vie et à la mort.

—A la vie, espérons-le, reprit Sermèze très ému.

Le lendemain, l'affiche suivante, imprimée sur papier vert, s'étalait sur tous les murs du quartier Saint-Barthélémy:

«Messieurs les électeurs,

«Je viens vous offrir de vous représenter au Conseil municipal de Paris;

«Je n'ai l'honneur d'être ni propriétaire, ni négociant dans votre quartier; j'en suis le plus simple électeur;

«J'ai pris mes grades dans trois facultés et je travaille pour gagner ma vie;

«J'étais expéditionnaire à l'administration des cultes; j'ai été révoqué pour avoir signé une pétition en faveur de la liberté;

«Si vous approuvez les basses oeuvres du Conseil qui gouverne actuellement la Commune de Paris, ne me donnez pas vos suffrages;

«Je défendrai dans tous mes votes:

«La liberté des pères de famille;

«L'égalité de tous les citoyens dans la protection qu'ils ont le droit de demander aux lois;

«La fraternité qui ne traite pas en suspects les frères des écoles et les soeurs des hôpitaux;

«La franchise m'ordonne de vous déclarer mes opinions politiques et religieuses:

«J'estime qu'un peuple sans religion est un peuple sauvage;

«Je crois que la France, privée de son roi légitime, est une nation décapitée et condamnée à devenir la proie de ses ennemis;

«Ainsi j'ai toujours cru, ainsi je croirai tant qu'une goutte de sang coulera dans mes veines.

«JACQUES DE MERIGUE, «93, RUE DES SAINTS-PERES.»

Cette ferme et fière proclamation produisit dans tout Paris l'effet d'une bombe d'énergie honnête, au milieu d'un camp de sceptiques et de ramollis. Toute la presse s'occupa de ces quelques lignes de prose claire, simple et vibrante, tracées par un inconnu qui, du matin au soir, était devenu célèbre. Les feuilles conservatrices exultaient de joie et s'écriaient qu'on avait enfin un homme. Les journaux républicains disaient aimer ce langage net et dépourvu d'obscurités. D'Escal et Sermèze étaient radieux. Mérigue trouvait tout cela très naturel et recevait comme lui étant parfaitement dus les compliments et les hommages. Une seule idée l'enthousiasmait: la pensée que toute cette renommée qui fondait sur lui allait le rapprocher de son idole.

Le soir, lorsqu'il rentra chez lui, son concierge, jadis rèche, maintenant souriant et obséquieux, lui remit un monceau de cartes de visite qu'il s'amusa à dépouiller sur sa table boiteuse.

En voici quelques-unes:

Le prince de La Roche-Bernard félicite M. de Mérigue de sa courageuse attitude.

Madame Salotru, blanchisseuse royaliste, envoie à M. de Mérigue tous ses compliments et l'assurance de sa parfaite considération.

Le général, comte de la Croisaie, grand officier de la Légion d'honneur: Bravo, jeune homme, vous êtes un brave.

L'abbé de la Gloire-Dieu, vicaire de Saint-Barthémy: sympathies bien cordiales.

Anselme Rotin, employé de commerce, a l'honneur d'informer le candidat qu'il votera vraisemblablement pour lui.

L'avant-dernière carte était insérée dans une enveloppe et ainsi conçue:

Gustave Coupessay, directeur des Oratoriens de la rue de Monceau, envoie à M. de Mérigue toutes ses congratulations et lui fait connaître qu'il sera trop heureux de l'attacher à son établissement dans les conditions qu'il voudra bien fixer lui-même.

—Tiens, dit Mérigue, il a fait une évolution, l'animal d'hier au soir.

Puis il lut la dernière carte:

Théodore de Vannes, élève externe au collège de la rue de Monceau, apprend que M. de Mérigue va donner des leçons à l'école et le prie de lui réserver quelques heures. Il saisit cette occasion pour serrer la main au vaillant candidat royaliste.

—Théodore de Vannes!!! Le frère de Blanche! s'écria Jacques. Ah! mon Dieu! je tiens les étoiles... enfin!...

VI

FIANCÉS

—Vous ne savez pas, ma chère, disait à Mlle de Vannes le jeune duc de Largeay, petit bellâtre insipide, empesé comme un faux-col et raide comme un échalas, vous ne savez donc pas?

—Quoi? fit Blanche d'un air distrait et quelque peu ennuyé, sans regarder son noble fiancé.

—Eh bien! cet espèce de polisson qui vous regardait l'autre jour à l'église d'une façon si impertinente...

—N'en dites pas de mal, cher duc, il est très bien.

—Ah! quel bon goût, ma chère, enfin, laissez-moi vous finir mon histoire.

—Faites, mais faites vite.

—Je l'ai rencontré tout à l'heure.

—Je regrette de ne pas avoir eu la même chance.

—Vous êtes aimable... je sais son nom.

—Vous êtes bien heureux.

—Jacques de Mérigue.

—Tiens, un joli nom.

—Vous trouvez?

—C'est tout ce que vous aviez à m'apprendre?

—Ah! mais non... un peu de patience.

—Vous voyez que je n'en manque pas.

—Ce Mérigue est l'étonnant candidat qui a signé les affiches extraordinaires dont tout le monde parle.

Blanche, à ces mots, prêta une attention plus soutenue aux paroles de son fiancé.

—Vous dites? interrogea-t-elle.

—Ce Mérigue, votre insolent admirateur, n'est autre chose que ce candidat qui fait tant de bruit.

—Tiens, tiens; mais il devient tout à fait intéressant, ce jeune homme.

—Quoi! ce malotru qui a osé...

—Ta, ta, ta, pas de gros mots; pourquoi lui en voudrais-je de me trouver bien? Est-ce que vous ne dites pas comme lui, par hasard?

—Ma chère, si je ne croyais de manquer au respect que je vous dois...

—Ne craignez rien, allez, j'ai bon dos.

—Je vous dirais...

—Pas de conditionnel.

—Que vos réflexions frisent l'impertinence.

—C'est un point de vue.

—Et je ne comprends guère qu'à un mois de notre mariage...

—Un mois!... qui vous a dit cela?

—Mais je croyais... pardon!

—Vous êtes bien pressé.

—Quel changement soudain.

—Vous enterrez bien vos vies de garçon, vous autres...

—Mais, chère amie, je ne suppose pas que vous ayez à faire une opération du même genre...

—Chi lo sa?

—Je ne comprends pas l'hébreu, ma chère.

—S'il n'y avait que l'hébreu!...

VII

LE COMITÉ

Monsieur le Président, Vidame du Merlerault. — Messieurs, vous devinez tous l'objet de notre réunion. Il vient de se produire un fait bizarre, absolument inouï, dans les annales du parti. Nous avions décidé sagement et prudemment que nous ne décrions pas notre drapeau à l'élection partielle qui va avoir lieu, le temps et les fonds nous manquant absolument. Et voici qu'à la stupéfaction générale, un jeune inconnu s'empare de cet étendard fleurdelysé qui a été confié à notre garde, et va-t-en guerre sans demander notre avis, sans prendre notre signal.

Le vicomte d'Escal. — Il eût attendu longtemps.

Le Président. — Sans doute. Nous n'avons pas habitude de confier à des gens sortis on ne sait d'où la représentation de nos intérêts et de nos opinions.

Le vicomte d'Escal — Parbleu, vous ne les confiez à personne.

Le Président. — Mieux vaut une abstention digne qu'une action irréfléchie.

Le vicomte d'Escal. — Il y a cinquante ans que vous vous abstenez dignement.

Le Président. — Mon cher vicomte, vous m'interrompez avec une opiniâtreté inconcevable. Je vous cède la parole.

Le vicomte d'Escal. — Merci, je l'accepte. Messieurs, voici en deux mots mon sentiment. Certainement, M. de Mérigue est blâmable d'avoir agi sans nous consulter, mais, outre qu'il ignorait probablement notre existence...

Le Président. — Un royaliste ne peut pas ignorer...

Le vicomte d'Escal. — Pardon! voilà que c'est vous qui m'interrompez, maintenant... je continue: nous nous trouvons en présence d'un fait accompli.

Monsieur de Prunières. — Hélas! oui, malheureusement.

Le vicomte d'Escal. — Comment, hélas? et d'un fait crânement accompli.

Le chevalier de Sainte-Gauburge. — Qu'importe la crânerie?

Le vicomte d'Escal. — Je la préfère à l'abstention digne. Je poursuis... d'un fait crânement accompli par un homme jeune et vaillant.

Monsieur de Saint-Benest. — C'est précisément là qu'est le mal!

Monsieur de Prunières. — Il vaudrait mieux qu'il fût vieux et prudent.

Monsieur de Saint-Benest. — Le candidat nous a manqué de respect.

Le vicomte d'Escal. — Il ne vous connaît pas.

Le chevalier de Sainte-Gauburge. — C'est une circonstance aggravante.

Monsieur de Saint-Benest. — Et puis, enfin, qui est-il? Qu'est cela, Mérigue? Sommes-nous certains qu'il soit né, seulement?

Le vicomte d'Escal. — Aussi vrai que vous êtes morts, vous autres.

Le Président. — Ne faisons pas d'esprit, cher vicomte, ce n'est pas dans les habitudes de nos réunions.

Le vicomte d'Escal. — Veuillez m'excuser, Monsieur le Président, une fois n'est pas coutume.

Le Président. — Je constate, Messieurs, qu'à l'exception de l'honorable vicomte préopinant, nous sommes tous unanimes à déplorer cette malencontreuse candidature, mais enfin, coûte que coûte, il faut prendre une décision.

Monsieur de Saint-Benest. — Une décision, y pensez-vous? déjà!

Le Président. — Hélas! oui, malheureusement.

Monsieur de Prunières. — Quelle fâcheuse aventure!

Le chevalier de Sainte-Gauburge.—Oh! que c'est grave, oh! que c'est grave!

Le Président.—Je vous propose, en premier lieu, de voter un blâme à M. Jacques de Mérigue, pour avoir posé sa candidature en dehors de notre assentiment. Le vicomte d'Escal est lui-même de cet avis. Que ceux qui sont d'un sentiment contraire veuillent bien lever la main. Personne ne lève la main. Le comité royaliste inflige un blâme à M. Jacques de Mérigue.

Le vicomte d'Escal.—Soutiendrez-vous, oui ou non, sa candidature?

Le Président.—La question est double. D'abord nous ne pouvons pas lui donner un centime.

Le chevalier de Sainte-Gauburge.—Pour ça, jamais! Il ne manquerait plus que ça.

Monsieur de Prunières.—D'abord, il n'y a que 35 francs dans la caisse.

Monsieur de Saint-Benest.—Pardon! c'est moi qui suis trésorier, il y a tout juste un louis.

Le vicomte d'Escal.—Versé entre nos mains par le tapissier royaliste de la rue Vanneau.

Le Président.—Là n'est pas la question. Je ne crois même pas utile de mettre en discussion une subvention pécuniaire que nous ne pouvons ni ne voulons accorder.

Monsieur de Saint-Benest.—Ça lui apprendra à ne pas nous consulter.

Le Président.—Maintenant, Messieurs, il faut boire le vin qui est tiré. Je vous demande de bien vouloir vous résigner à donner votre appui au candidat. Je crois que vous y consentirez tous et j'ai l'honneur de prier notre cher secrétaire, le chevalier de Sainte-Gauburge, de vouloir bien insérer au procès-verbal que: 1° Le comité vote un blâme à M. Jacques de Mérigue (à l'unanimité!); 2° Le comité ne fournit à M. Jacques de Mérigue aucune subvention pécuniaire (à l'unanimité!); 3° Le comité appuie la candidature de M. de Mérigue (à l'unanimité!) Mes chers collègues, la séance est levée.

VIII

A LA MODE

Mérigue était le lion du jour. Toute la presse s'occupait de cet audacieux Éliacin qui, rompant avec les habitudes gâteuses de la phraséologie politique, parlait un langage clair, net, incisif, catégorique. *Le Rappel* le qualifia de petite vipère réactionnaire couvée trop longtemps dans le sein d'une administration républicaine. Il reçut dans son grenier une visite d'un reporter du *Figaro* qui se plut à louer la simplicité spartiate du vaillant champion de la légitimité. D'innombrables cartes de congratulation affluaient à son casier. On ne parlait que de lui dans les salons bien pensants et beaucoup de jeunes femmes témoignaient le désir de voir en chair et en os le jeune athlète dont le nom retentissait si fort à leurs oreilles. Deux princes, trois ou quatre ducs, une demi-douzaine de marquis, des régiments de comtes et des troupeaux de barons voulurent faire l'ascension des cent vingt marches. Ils restaient tous bouche béante devant le dénûment du candidat et se demandaient comment il était possible que tant de valeur et de hardiesse fussent le partage d'un personnage aussi déshérité du sort. Jacques, qui croyait «marcher vivant dans son rêve étoilé», recevait toutes les félicitations et tous les compliments d'une façon à la fois gauche et hautaine qui était pleine d'une étrange saveur. Il s'était empressé, naturellement, d'aller occuper son poste de répétiteur au collège ecclésiastique de la rue de Monceau, où le révérend Père Coupessay l'avait accueilli comme une grande dame. Ce religieux opportuniste eut même l'admirable toupet de lui dire qu'il lui semblait bien l'avoir déjà vu quelque part. Tous les jeunes gens de famille avaient réclamé, comme une précieuse faveur, les leçons de ce conquérant si remarquable à la fois par sa mine fière, sa désinvolture et son caractère bon enfant. Son premier élève avait été Théodore de Vannes, le propre frère de la Vénus de Sainte-Radegonde, sorte de gros garçon, jovial et brutal, élevé à la diable, notablement intelligent et doué par-dessus tout d'une excentricité voisine de l'aliénation. Théodore avait, dès le premier jour, voué à son maître d'occasion une admiration désordonnée et une sorte d'amitié violente et sans mesure. Jacques trouvait bien toutes les démonstrations de l'adolescent un peu encombrantes, mais le vague espoir d'arriver à la soeur par le frère le déterminait à supporter

31/240

toutes les effusions obsédantes du collégien. Il le fit causer avec un certain art et apprit une foule de choses intéressantes, au sujet de sa chimère. Il eut la confirmation des fiançailles de Blanche avec le duc de Largeay. Théodore ajouta que cette union était le résultat d'une pure convenance de famille et que sa soeur trouvait le duc fade et ennuyeux. Il était absolument du même avis et regrettait vivement que Blanche n'épousât pas un homme intelligent et digne d'elle. On la surnommait partout la quatrième Grâce et elle allait unir ses destinées à celles d'un boudin sans savoir et sans esprit, dont tout le mérite consistait à perpétuellement rire, aux fins d'exhiber un râtelier perfectionné payé six mille francs chez Préterre. Du reste, ajoutait Théodore, ce mariage n'était certes pas fait encore et pourrait bien ne jamais se réaliser. On juge si ces déclarations étaient approuvées et appuyées par Mérigue, qui arrivait à se dire intérieurement: décidément, ce gaillard-là est très fort! il n'a pas les préjugés de ses pareils: il est utilisable. L'affection qu'il me témoigne, jointe à cette largeur d'idées, peut mettre bien des atouts dans mon jeu.

Un jour, le candidat royaliste reçut la lettre suivante:

«Monsieur,

«Je fais une collecte à domicile pour les pauvres du quartier spécialement secourus par M. l'abbé de la Gloire-Dieu. Tout le bien qu'on dit de vous me fait un devoir de compter sur votre générosité. J'aurai le plaisir de me présenter moi-même chez vous et je ne doute pas de l'accueil que vous voudrez bien faire à mes sollicitations en faveur des malheureux.

«Recevez, Monsieur, l'assurance de mes sentiments très distingués.

«Comtesse de Vannes,

«Hôtel Soubise, 85, rue Saint-Dominique.»

Pardieu! s'écria Jacques, je crois bien, que je t'en donnerais, si j'en avais, mais où diable trouver assez de *monacos* pour te faire une aumône digne... de la fille!

Il réfléchit quelques instants et s'élança tout à coup chez le vicaire de Saint-Barthélémy. Il lui exposa la situation et le pria de lui avancer cinq louis.

—Mais, voyons, mon cher enfant, lui dit l'abbé dont la sagacité devinait toutes les pensées du jeune homme, voyons, pourquoi voulez-vous jeter une somme pareille par la fenêtre? Croyez-vous qu'on vous en saura gré. On vous remerciera sans doute, mais on se dira que vous avez voulu poser, lancer de la poudre aux yeux, vous faire passer pour ce que vous n'êtes pas, enfin... je vois que vous persistez... qu'il soit fait selon vos désirs, pauvre enfant!... pauvre enfant!

Le prêtre prononça ces dernières paroles avec une tristesse qui fit trembler sa voix. Jacques n'y prit point garde, reçut les cinq louis, remercia chaleureusement l'ecclésiastique et courut sans désemparer à l'hôtel de Soubise pour apporter son offrande.

—Mme la comtesse ne reçoit pas aujourd'hui, lui dit assez insolemment un concierge habillé en suisse de cathédrale.

—Voulez-vous lui dire que c'est M. de Mérigue.

—Ni Mérigue, ni personne, répliqua avec sécheresse le pipelet resplendissant.

Jacques se demanda s'il n'allait pas bâtonner ce drôle. Il comprit bien vite l'inanité d'une pareille exécution, tendit au cerbère l'enveloppe qui contenait sa carte et son billet de cent francs, en le foudroyant de ses yeux irrités. «Bien», répondit le valet et il referma brusquement la porte au nez frémissant du donateur.

IX

LA FAMILLE JOYEUSE

—Papa! maman, Marianne, Mathilde, s'écriait Jacqueline toute haletante d'émotion et de bonheur, écoutez! écoutez! une lettre de mon cher petit frère. Ah! si vous saviez!... venez tout de suite. Marianne! dis à Jeannette de faire boire un coup au facteur, merci, mon Dieu! merci.

Toute la famille de Mérigue s'était précipitée aux appels triomphants de son plus jeune membre. Jeannette, la vieille et fidèle cuisinière, rappelait le facteur à grands cris et, sans savoir de quoi il pouvait bien s'agir, lui versait généreusement un grand verre du meilleur vin de la cave; le domestique lui-même, le brave et digne Pierrille, quoique non interpellé, avait abandonné ses boeufs à moitié liés au seuil de la grange et était accouru, son bonnet à la main, en entendant les exclamations de Mlle Jacqueline. Bientôt un groupe s'était formé dans la cour: la famille entière, Jeannette, Pierrille, le facteur, ces trois derniers à une distance respectueuse, faisaient un cercle autour de la jeune fille qui brandissait sa lettre en l'air comme un porte-drapeau arbore son étendard. A tout ce tumulte inusité dans l'habitation si paisible, la chienne du logis, la douce et gentille Éva, s'était avancée à son tour et regardait ses maîtres d'un air étonné, en remuant la queue. Jacqueline lut d'une voix tremblante la missive extraordinaire qu'elle avait fiévreusement parcourue:

«Ma chère petite Jacqueline,

«Papa, maman, mes grandes soeurs ne m'en voudront pas de t'avoir adressé l'importante correspondance d'aujourdhui. Je te devais bien cela, compagne aimée de mon enfance et de ma jeunesse; comme papa, tu n'as jamais désespéré de mon avenir. Vous aviez raison: Je suis candidat du comité royaliste aux élections parisiennes, j'ai toutes les chances possibles de succès. Je suis répétiteur au collège de la rue de Monceau, et tous les jeunes gens des plus grandes familles se disputent l'honneur de mes leçons. Le premier que j'ai eu est précisément le frère de ma belle demoiselle de Sainte-Radegonde qui s'appelle Blanche de Vannes et appartient à la première aristocratie du faubourg. Cet élève m'a voué une affection extraordinaire. Je vais pouvoir approcher l'idole de mes rêves! Mes chères âmes, que de bonheurs à la fois: l'honneur, l'argent! et peut-être l'amour. Je ne t'en écris pas plus long aujourd'hui, ma bonne Jacqueline, tu comprends aisément quelles doivent être mes occupations. Je joins à ma lettre un exemplaire de ma proclamation aux électeurs du quartier Saint-Barthélemy et divers extraits des journaux qui me portent aux nues. Dans tout cela, ma première pensée a été celle-ci: je vais donc pouvoir envoyer un peu de joie à ceux qui sont si tristes et que j'aime tant. Je vous embrasse de toutes mes forces.

«JACQUES.»

—Louez Dieu et tirez le canon! exclama le vieux Mérigue en voulant saisir les extraits des journaux qu'il jeta à terre dans sa précipitation.

—Mon ami, interrompit la pieuse Caroline, d'une voix plus calme, mais toute vibrante de bonheur, mon ami, tu as bien dit. Il faut commencer par remercier la Providence divine qui vient à notre secours au moment où nous croyons tout désespéré.

La sage Marianne prit alors la parole.

—Je crois, dit-elle, que voilà un bon début. Il ne faut pas attendre monts et merveilles; nous pourrions nous ménager de pénibles déceptions, mais enfin on peut dire, d'ores et déjà, que Jacques a le pied à l'étrier, et la possibilité de parvenir à une situation honorable et avantageuse...

—Il marche à ses grandes destinées, affirma Jacqueline, il glorifiera notre nom.

—Il sert son Dieu et son roi, dit à son tour l'enthousiaste Mathilde. Que pouvons-nous désirer encore?...

—Que quelques émoluments solides viennent s'ajouter à toute cette fumée de gloire, reprit Marianne sérieuse et grave.

—Mais s'il y avait vraiment quelque chose derrière cette jolie amourette, dit Joseph de Mérigue, anxieux. Pourquoi pas, ma chère Marianne?

—Tout est possible, mon père, mais cela n'est pas probable, répondit la soeur aînée.

—Comment? pas probable, ma fille?... Mais au contraire, rien n'est plus vraisemblable. Quelle jeune fille ne serait jalouse d'unir son sort à celui d'un garçon aussi vaillant, aussi bien né, et je puis ajouter maintenant aussi célèbre que Jacques de Mérigue?...

—Papa a raison comme toujours, dit Jacqueline en sautant au cou du vieux comte...

Jeannette et Pierrille, les deux bons serviteurs, quoique placés à une certaine distance du groupe familial, avaient vaguement saisi le sens général de cette conversation. Ils comprenaient que Jacques allait devenir un grand personnage, lui qu'ils avaient vu au berceau, et auquel il ne cessaient de pronostiquer un avenir sidéral. Un bon sourire, moitié étonné, moitié joyeux, épanouissait leurs traits minés par le travail et la fatigue; Éva s'était approchée de Jacqueline et lui léchait doucement les mains. Un gai soleil de printemps éclairait cette petite scène, et mêlait au bonheur de ces pauvres êtres l'immense allégresse de la résurrection du ciel.

—Pierrille! dit tout à coup Joseph de Mérigue, en attendant l'artillerie qui nous manque, tu vas tirer deux coups de fusil. Pierrille obéit avec empressement et déchargea en l'air à deux reprises une vieille canardière informe qui, à la seconde détonation éclata, et fit au tireur une légère blessure.

Comme on s'empressait autour de lui et que Marianne blâmait l'ordre imprudent du comte, le domestique affirma, dans son patois pittoresque, qu'il était heureux d'arroser de son sang la première couronne de son jeune maître.

Tous les membres de la famille voulurent répondre incontinent à leur cher représentant qui leur envoyait de cent cinquante lieues un si brillant rayon d'honneur.

Le chef de la maison et Jacqueline furent dithyrambiques, les adjectifs hyperboliques et les adverbes sonores éclatèrent sous leur plume comme des gerbes d'étincelles sous le galop d'un cheval. Joseph déchira deux feuilles de papier dans son impatience nerveuse, et entra dans une grande colère accompagnée de gros mots, en prétendant que sa femme n'avait que de sale encre, de sacrées plumes, et de fichu papier! Caroline, tout en félicitant son cher fils, lui exprima que la première chose qu'il avait à faire, était de témoigner sa reconnaissance au bon Dieu en allant trouver au plus vite son confesseur qu'il négligeait depuis si longtemps.

Mathilde, en quelques pattes de mouche fiévreusement tracées, recommanda à son frère de toujours viser à l'honneur et de dédaigner les vils métaux si recherchés en ce siècle matérialiste.

Marianne au contraire avertit Jacques de ne pas trop songer à la vaine gloriole et à l'immortalité décernée par les journaux. Elle lui conseilla de profiter d'une popularité, peut-être éphémère, dans un milieu bien capricieux, pour s'efforcer d'acquérir honnêtement les moyens de vivre et d'aider les siens.

Au repas du soir, où fut invité le vieux curé Desmolard, on but une bouteille de vieux Mérigue soigneusement bouchée, cachetée et étiquetée cinq ans auparavant par la prévoyante Marianne. Les six convives absorbèrent à peine la moitié du précieux flacon qui fut renvoyé à la cuisine où le digne Pierrille se chargea de l'achever.

M. de Mérigue, selon sa coutume, se coucha en même temps que les poules, oubliant, à la grande indignation de sa sainte épouse, de réciter sa prière du soir.

Mme de Mérigue resta agenouillée jusqu'à une heure avancée de la nuit.

X

LA DOUAIRIÈRE SCANDALISÉE

La comtesse douairière de Vannes, assise auprès de sa fille, dans le grand salon blanc et or de l'hôtel Soubise, était en train de la moréginer tout doucement.

Cet adverbe était essentiel à côté du verbe précédent, car Mlle Blanche était absolument dans la catégorie de ces jeunes filles qui, en un instant d'humeur ou de caprice, envoient promener par-dessus les moulins, père, mère, directeur... et bonnets...

—Ma bien chère Blanche, j'ai une toute petite observation à te faire...

—Encore des reproches.

—Je m'en garderais bien... une simple remarque... un léger conseil...

—Dites toujours, cela n'engage à rien...

—Je trouve que tu lis beaucoup, et des livres bien risqués.

—Affaire de goût, chère maman... J'ai toujours préféré les romans aux méditations de l'Évangile...

—Sont-ce là, mon enfant, les leçons que tu as reçues au couvent du Sacré-Coeur?

—Ah! les leçons des révérendes mères, vous savez, j'en prends et j'en laisse...

—Véritablement, tu m'abasourdis. Dis-moi où tu peux avoir trouvé toutes ces idées d'indépendance malsaine, prématurée?

—Dans ma tête.

—Mes compliments. Tu es à peine gentille pour moi... et... pas du tout pour ce pauvre duc, ton fiancé...

—Ah! le duc!...

—Eh bien! le duc?...

—Eh bien, là! il m'ennuie! en bon français...

—Comment? déjà!

—Depuis le premier jour.

—Mais, malheureuse enfant, tu l'as accepté, voyons?

—Sans doute... et après?...

—Mais il sera ton mari dans quelques semaines...

—Oh! d'abord, rien ne presse... et puis...

—Et puis...

—Soit! il sera mon mari. Beau nom!... Un des lions du club habillé à la dernière mode!... parfaitement niais... Rien de mieux...

—Tu me fais tomber des nues, ma fille, tu n'as donc pas l'intention de l'aimer?

—Oh! mon Dieu!... si fait!... comme on aime... un mari!...

—Tais-toi, Blanche, s'il t'entendait!...

—Il m'a déjà comprise, allez!...

—Et c'est pour cela qu'il est si triste, ma fille... En vérité, tu me navres...

—Triste?... Le duc de Largeay?... Toujours assez gai pour faire de petits soupers aux Ambassadeurs avec Mlle Zoé!...

—Blanche!... y penses-tu?...

—Pour payer un coupé de deux cents louis à Mlle Microche des Nouveautés...

—Tais-toi, de grâce! si quelque domestique était derrière les portes...

—Pour avoir un compte de cent louis chez la bouquetière du Jockey!

—Mais il t'envoie chaque jour des fleurs!...

—Des rossignols!... achetés au rabais sur les brouettes qui passent dans les rues... Eh! chère maman, vous ne saviez pas tout cela!... Cela prouve qu'à votre âge, vous avez encore des choses à apprendre de votre fille.

—Tu me confonds...

—Ah! vous n'avez pas fini... oui, le duc sera mon mari! C'est entendu. C'est conclu. Je l'aimerai... par convenance... mais quand à lui donner un atôme de mon coeur, vous entendez, un atôme...

La comtesse douairière était anéantie. Elle ne put répliquer à ce trait final et leva les mains au ciel en murmurant à la cantonade: Eh bien! Mesdames, mettez donc vos filles au couvent!...

XI

UNE LECTURE

Le duc de Largeay, prétentieusement accoudé à la grande cheminée du salon blanc et or, pince du bout des lèvres une cigarette du Levant dont il envoie la fumée au plafond en petits cercles bleuâtres géométriquement mesurés. La comtesse douairière de Vannes se concentre sur une broderie d'un dessin compliqué; sa fille, Blanche, à demi vautrée sur un divan, regarde les bibelots et les candélabres d'un air distrait et maussade.

—Eh bien! dit-elle tout à coup, voyant que personne ne se décidait à rompre l'auguste silence, eh bien, duc, nous apportez-vous des nouvelles du boulevard ou du club?

—Oui, ma chère. Enfin, quand je dis des nouvelles, elles se ressemblent toutes ces jours-ci. Ouvrez la première feuille venue, royaliste ou intransigeante, matinale ou vespérale, c'est Mérigue, toujours Mérigue, encore Mérigue. J'ai précisément dans ma poche son discours à la réunion publique.

—Voudriez-vous être assez aimable pour nous en donner lecture?

—Si cela peut vous être de quelque agrément?

—Certes.

—Cela n'ennuiera-t-il pas la comtesse?...

—Oh! moi, je brode, répondit la douairière interpellée.

—Eh bien, ma chère Blanche, reprit le duc, je vais vous faire faire connaissance avec la prose de votre admirateur.

—J'écoute, monsieur le duc.

—«Messieurs, dès l'ouverture de la période électorale un groupe de royalistes, sans s'arrêter aux considérations d'âge, de fortune ou de notoriété qui devaient me dérober à l'attention publique, est venu m'engager à poser ma candidature aux élections de notre quartier.

J'ai cédé à leurs instances, et je suis descendu résolument dans l'arène.

—Très gentil à la fois de modestie et de crânerie, observa Blanche.

Le duc poursuivit en se mordant les lèvres:

«La démagogie triomphante déclare une guerre sans merci à toutes nos forces constituées: Nous voulons conserver tout ce qu'elle veut détruire, protéger tout ce qu'elle attaque, sauver tout ce qu'elle bat en brèche; nous sommes les assiégés de la grande citadelle de l'ordre!...

—Belle image! dit Blanche.

—Mauvaise rhétorique, répliqua Largeay.

—Oh! ne parlez pas de rhétorique, répliqua Mlle de Vannes, vous n'avez pas encore fait la vôtre...

Le duc, muselé, continua: «Examinons d'abord comment nos édiles entendent appliquer la devise surannée dont ils noircissent les murailles de tous nos édifices publics. La liberté qu'ils exigent pour eux, ils la refusent péremptoirement aux autres, et les honnêtes gens, bon gré, mal gré, verront leurs enfants courber la tête sous les fourches caudines de l'athéisme gratuit et de la polissonnerie obligatoire...»

—Bravo! fit Blanche en applaudissant.

—Vous applaudissez des violences, ma chère.

—Essayez donc d'en faire des violences, vous!

—Oh! Blanche! Je reprends:

«La fraternité signifie aujourd'hui la proscription des frères et des soeurs...

—Charmant! murmura Blanche.

—Calembour vulgaire! entonna le duc. Je poursuis: «Quelles sont les oeuvres de ces hommes? A quoi emploient-ils nos millions? Ils dressent sur nos places publiques des Mariannes aux grossiers appas que l'on ne voudrait pas rencontrer au coin des carrefours. Ils votent à leurs aimables Calédoniens des fonds de déplacement et des indemnités pour «travaux extraordinaires».

On voit qu'il sort d'une administration, ce monsieur...

—Où vous seriez incapable d'entrer si jamais vous étiez ruiné.

—Ne m'interrompez donc pas à toute minute.

«Maintenant, j'aborde le côté politique de ma profession de foi, je suis catholique et royaliste...»

—Franc, loyal, splendide! s'écria Blanche.

—Et fortement maladroit.

—Je voudrais vous y voir.

—Vous serez privée de ce spectacle.

—Je m'en doute, cher duc... Vous à la tribune! Ah! ah! ah! J'en pâme, rien que d'y penser, un guignol de grandeur naturelle... Continuez...

—«La République engendre la licence, le désordre, la perversion; elle abaisse les caractères, amollit les courages, émousse les forces vives de la nation dans des luttes intestines sans profit et sans grandeur, et livre, en fin de compte, le pays désarmé à l'âpre convoitise des hordes conquérantes...»

—Très bien! très bien! appuya Blanche.

—Du pathos pur et simple.

—Pathos? dites-vous. Prenez garde, ce mot a une terminaison grecque, ne vous aventurez pas sur les terrains que vous ignorez... Allez!

—«Je veux lutter galamment contre les républicains convaincus, mais une juste colère s'empare de moi à la vue des acrobates et des jongleurs politiques. Que je voie venir à ma rencontre un ennemi franc et probe, je le combattrai sans cesser de l'estimer, et quand nous interromprons le duel, à la chute du jour, nous échangerons peut-être des présents comme les héros d'Homère...» Aïe, aïe, des réminiscences classiques, à présent.

—Ce n'est pas vous qui en auriez de semblables, bien cher duc... La raillerie vous est malséante... Allez!...

—«Mais pour les gens sans foi qui ne craignent pas d'employer des engins perfides, pour les espions et les délateurs, pour les fabricants et souteneurs de l'article vu et autres ordures...»

—Ah! quelles expressions. Quel langage!

—Allez donc... Opoponax!...

—«Je ne les épargnerai pas, car je le déclare hautement, je ne redouterai jamais ni leur plume, ni leur épée...»

—Fier, crâne, charmant!...

—Une simple provocation, ma chère!...

—Que vous dédaigneriez, n'est-ce pas?

—Certes, ma bonne amie.

—Comme je vous connais bien... Ensuite!

—«Quelques jours à peine nous séparent de l'ouverture du scrutin; que ma personnalité s'efface, que l'amour de notre cause enflamme seul l'ardeur de nos âmes. Ne nous inquiétons pas du résultat de nos peines et de nos fatigues. Quand on s'est tracé une route, on doit la suivre invariablement... Le royaliste qui a gardé une plume ou une épée à la main, et sa vieille foi dans le coeur, quand il a interrogé sa conscience, doit affronter le sort. Va où tu peux. Meurs où tu dois!»

—Superbe! superbe! dit Blanche en battant des mains.

—Tout bonnement de l'épigramme.

—Vous dites, cher duc?

—Pardon, pardon, je voulais dire mélodrame.

—Diable! je vous souhaiterais sincèrement des réminiscences de langue française puisque vous paraissez si fort mépriser les autres... Voulez-vous continuer?

—C'est fini, chère amie, le journal ne donne que des extraits.

—Déjà terminé? Quel dommage! Je veux lire ce discours in-extenso, c'est-à-dire en entier, je traduis pour ceux qui ne comprennent pas le latin. C'est tout bonnement splendide. N'est-ce pas, maman, que vous êtes de mon avis?

—Ah! moi, j'ai brodé, répondit la comtesse douairière sans lever les yeux.

—Vous n'avez pas le goût bien sûr, ma chère, dit Largeay en froissant le journal qu'il venait de parcourir avec un dépit mal dissimulé, vous lisez trop les auteurs modernes.

—C'est une petite différence qui existe entre nous. Bref, ce Mérigue est un homme, quelles que soient les critiques des clubmen et autres gens bien peignés.

—Un homme... Je n'en suis donc pas un à votre compte?

—Oh!... cher duc!... Mais laissons un sujet que vous estimez frivole et parlons un peu des choses qui vous intéressent. Quoi de nouveau au club?

—Saint-Benest a perdu deux mille louis au Quinze.

—Et puis?

—Prunières plaide en séparation avec sa femme qui, paraît-il, l'a battu.

—Dame! elle a dû le secouer comme un Prunières.

—Oh! que vos plaisanteries sont de mauvais goût, ma chère amie.

—Après, après, pas de paroles oiseuses!

—M. du Merlerault a gagné mille louis sur M. de Senlis, à Chantilly.

—Est-ce tout?

—Non! Le petit Mora s'est battu au pistolet avec le grand du Tranchey.

—Pourquoi cela?

—Ces deux messieurs s'étaient rencontrés dans l'antichambre d'une femme légère.

—Dites donc d'une cocotte, allons!

—Pardon! il y a une nuance.

—Et cette femme légère s'appelait...?

—Je n'ai pas retenu le nom.

—Mlle Zoé, peut-être!

—Connais pas, chère amie, connais pas.

—Celle qui aime tant les soupers fins.

—Ah! je ne savais pas!

—Bien... assez... Vous n'avez plus d'histoires!

—Ah! si fait! le petit vicomte d'Escal se vante partout d'avoir inventé la candidature Mérigue, d'avoir été le Christophe Colomb de cette Amérique.

—Ah! encore, cher duc, vous êtes exécrable. Non, je vous en conjure, ne faites pas d'esprit, je vous préfère à votre état naturel.

—Toujours ce Mérigue! On ne peut se retourner sans voir ses affiches vertes ou sans entendre parler de lui.

—Soyez tranquille, il ne vous en arrivera jamais autant.

—Je ne vous cacherai pas que je commence à être agacé d'ouïr ce nom ressassé par tous les échos.

—Allez le lui dire, cher duc. Vous vous battrez, et il vous tuera.

—Comme vous allez vite en besogne, chère amie. Croyez-vous que je me commettrais avec un aventurier?

—Non, non, duc, je ne le crois pas.

Comme Blanche de Vannes achevait ces mots la porte du salon s'ouvrit brutalement et livra passage au gros Théodore, chancelant, titubant, les yeux pochés et les habits en lambeaux.

La comtesse douairière se précipita pleine d'inquiétude.

—Faites-le conduire au lit, dit Blanche sans se déranger, il est encore dans les brindezingues. Ce n'est que la troisième fois depuis deux jours. Il y a du progrès.

—Comment?... de quoi?... grognait Théodore en s'appuyant aux murailles... d'abord il ne s'agit pas de cela. Il s'agit... d'aller... éveiller l'Académie... Vous savez, l'Académie, à l'Institut... pour donner le prix Montyon... à mon ami Mérigue... le prix Montyon, ce n'est pas trop... il m'a sauvé la vie. Voilà! il ne s'agit pas d'aller au lit, il s'agit du prix Montyon... de Mérigue... et de l'Académie... vous savez, à l'Institut, là-bas, la maison est au coin du quai.

Pendant que Largeay et la comtesse faisaient asseoir le jeune homme, un commissionnaire apporta une lettre ainsi conçue:

«Madame la Comtesse,

«Mon cher élève Théodore, presque au sortir du collège, a été attaqué par une bande d'escarpes qui exploite le quartier de l'Europe. Fort heureusement je me suis trouvé passer sur le terrain de la rixe; j'ai eu la chance de mettre en fuite les agresseurs et de vous ramener M. votre fils sain et sauf. Je ne l'ai quitté qu'à la porte même de votre hôtel, et je l'eusse même certainement accompagné jusqu'auprès de vous, si je n'avais eu la crainte de commettre une indiscrétion.

«Agréez, madame la comtesse, l'hommage de mon profond respect.

«JACQUES DE MERIGUE.»

—Mais c'est un ange, cet homme! s'écria Blanche avec un enthousiasme sincère.

—Ou du moins un brave garçon, opina la comtesse douairière.

—Il n'a fait que son devoir, reprit sèchement le duc de Largeay.

Pour le coup, Blanche n'y tint plus.

—Duc, dit-elle d'un ton sarcastique, vous tenez le langage d'un nigaud.

—Blanche! Blanche! fit la douairière scandalisée.

Cependant Théodore s'était pesamment endormi sur un fauteuil et ronflait avec un bruit de crécelle, les bras pendants et les jambes écartées. Entre le frère ivre mort, et la soeur, plus que grincheuse, le duc sentit que sa position devenait difficile. Il baisa assez adroitement la main de sa fiancée, salua cavalièrement sa future belle mère et s'éclipsa sans autre formalité. Dès qu'il eut tourné les talons, Blanche dit à la comtesse:

—Ma chère maman, il faut absolument faire une politesse à M. de Mérigue, c'est un devoir indiscutable.

—Eh bien, ma fille, reprit la douairière, quand tu voudras.

XII

DEUX RENCONTRES

Mérigue avait effectivement tiré Théodore de Vannes d'un très mauvais pas. Le jeune externe de l'institution de Monceau, au lieu de rentrer chez lui en quittant sa classe, avait été selon une habitude déjà enracinée, prendre quelques vermouths et plusieurs absinthes dans un cabaret borgne des Batignolles. Son humeur querelleuse étant exaltée par les spiritueux horribles qu'il avait engloutis, une rixe était survenue entre trois rôdeurs de barrière et le noble habitant de l'hôtel Soubise. Théodore, après avoir distribué quelques énormes coups de poing et reçu lui-même une sérieuse raclée, s'était retiré devant la supériorité du nombre et avait opéré vers les quartiers du centre une retraite en mauvais ordre. Comme il repassait à la hauteur de son collège, poursuivi par les trois escarpes, il avait rencontré Jacques qui jeta immédiatement dans la balance le poids de sa vigoureuse énergie et de sa grosse canne plombée. Les agresseurs prirent la fuite, non sans incriminer la lâcheté des bourgeois qui se mettaient deux pour combattre trois prolétaires. Le professeur-candidat, ayant alors remarqué que son élève n'était point, quant à la lucidité d'esprit, dans une situation absolument normale, héla un fiacre, y fit monter le jeune homme et le reconduisit à la rue Saint-Dominique. Il avait une singulière envie d'entrer et de remettre lui-même Théodore ès mains de la comtesse douairière, mais il pensa avec raison, qu'il était plus délicat et plus politique de s'effacer immédiatement après le service rendu et avant d'attendre sa constatation par les intéressés.

Le lendemain matin, au moment de quitter son logis pour commencer ses courses électorales qu'il exécutait quotidiennement avec une infatigable activité, il rencontra sous le porche du 93 un laquais de grande maison qui lui remit un billet ainsi conçu:

«La comtesse douairière de Vannes prie Monsieur Jacques de Mérigue de vouloir bien lui faire le plaisir de venir dîner chez elle demain soir à sept heures et demie. Elle saisit cette occasion pour remercier Monsieur de Mérigue d'avoir rendu à son grand étourdi de fils un service signalé comme celui d'hier soir.

«Hôtel Soubise, 85, rue Saint-Dominique.

«CE MERCREDI.»

Jacques eut pendant quelques secondes la sensation d'un aéronaute qui, par un temps calme et superbe, monte doucement dans l'air bleu. Une félicité profonde s'empara de tout son être et transparut sur son visage avec un léger sourire qui adoucit infiniment son énergie habituelle et la fondit en une expression caressante et joyeuse. En un clin d'oeil, et comme par enchantement, toutes les préoccupations politiques s'évanouirent dans son esprit et il marcha droit devant lui, à l'aventure, sans se préoccuper des passants et des rues et comme s'il eût suivi dans le vague des airs l'appel d'une vision mystérieuse. Il fut bientôt tiré de sa rêverie par un petit coup de canne sur l'épaule. Il se retourna, furieux contre le mal appris qui le précipitait des hauteurs de son extase, mais se rasséréna presque aussitôt. C'était le baron de Sermèze. Pour toute entrée en matière, Mérigue montra à son ami le billet qu'il venait de recevoir. Sermèze lui répondit simplement:

—Eh bien, mon vieux, je m'empresse de te dire que ceci ne signifie rien au point de vue de tes désirs chimériques, mais il y a une question très réelle qui est soulevée par la remise de ce poulet.

—De ce poulet?

—Je retire le mot s'il te blesse... Vrai on dirait que tu es gendre... enfin, c'est pas tout ça, tu vas donc dîner à l'hôtel Soubise?...

—Pardieu! un peu!

—As-tu seulement un habit?

—Diable! je n'y songeais pas...

—Étourneau! Un claque?

—J'en ai un qui date d'avant la guerre.

—Insuffisant, très cher... un plastron irréprochable?

—L'adjectif serait présomptueux.

—Des souliers vernis?

—Diantre, mon cher, tu m'effraies, je n'ai point réfléchi à tout cela.

—Est-ce que tu réfléchis jamais à quelque chose! As-tu au moins l'argent nécessaire pour te procurer ces divers objets?...

—J'ai soixante francs de fortune. Je ne toucherai ma première mensualité au collège que dans trois semaines.

—Voilà dix louis, tu me les rendras quand tu pourras.

—Tu es un dieu, Sermèze.

—Et toi, un animal... Allons, occupe-toi vite de cette question d'équipement et ne fais pas de gaffe.

—De ce pas, cher baron...

—Une autre chose... va-t'en chez un habile Figaro et fais-moi opérer des coupes importantes dans la forêt vierge qui ombrage ton acropole.

—Ah! tu crois, ami?

—Oui, crétin! Ces crinières-là ne sont bonnes que pour griffonner et déclamer la *Rédemption des Damnés*, ou autre fantaisie dantesque. Dans le monde, on porte très court.

—Je suivrai tes conseils, je reconnais ta compétence en ces questions.

—Et aussi pour dénicher des candidatures parisiennes aux Limousins obscurs.

—D'accord, le fait est brutal.

—Et tu es une brute... Rudement chouette à propos ton discours et je te renouvelle mes compliments.

—C'est heureux.

—Ah! pour une fois... enfin à revoir. Sois sage!... habile et bien peigné.

Le lendemain soir le candidat royaliste, à peu près déguisé en homme du monde, se présentait à l'hôtel Soubise et passait fièrement devant le concierge polychrome qui l'avait naguère éconduit d'une façon si sommaire. Le salon était vide lorsqu'il y fut introduit. Le dîner devait avoir lieu à sept heures et demie et la pendule ne marquait que sept heures et quart, Jacques était arrivé un peu trop tôt. «Sermèze appellerait cela une première gaffe!» se dit-il. Comme il formulait en lui-même cette pensée assez juste une porte s'ouvrit vivement et donna passage à Blanche de Vannes qui traversa l'immense pièce comme un petit ouragan et vint saisir la main de Jacques avant même que remis de son émotion il eût eu le temps de répondre à son geste.

—Il y a plusieurs jours que nous désirions vous voir, Monsieur; vous représentez nos idées d'une façon si entière et si franche... et en outre vous êtes si bon pour ce grand maladroit de Théodore.

—Mademoiselle... put à peine articuler Mérigue totalement foudroyé par cette incisive entrée en matière.

—Asseyez-vous donc, monsieur. Vous devez être harassé avec le double métier que vous remplissez si courageusement, ma mère va venir dans quelques minutes... Théodore ne tardera pas non plus à moins qu'il ne soit dans quelque taverne. Ah! monsieur!... il n'a que dix-sept ans, et déjà il veut faire le jeune homme... hein?...

—Mademoiselle...

—Ça boit une absinthe, ça fume une pipe, ça parle de femmes. Quelle pitié, n'est-ce pas?...

—Oh! mademoiselle...

—Enfin, ce sujet-là ne vous intéresse pas beaucoup... Il paraît, monsieur, qu'à toutes vos autres qualités vous joignez celle d'être poète...

—Mademoiselle...

—Eh bien! moi, voyez-vous... j'adore les vers... et j'admire beaucoup ceux qui savent les faire. Théodore m'a parlé d'un grand poème que vous étiez en train d'écrire sur la *Rédemption des Damnés.*

—Mademoiselle...

—Vous nous le montrerez, n'est-ce pas?...

—Assurément, mademoiselle.

—Avant qu'il soit édité, je vous prie, je raffole des primeurs... Et puis, à propos, monsieur, il me semble vous avoir déjà vu je ne sais où?

Jacques, qui était pâle comme un linge, sentit monter à ses joues un violent afflux de sang...

—Mademoiselle, je... je ne sais pas...

—Parfaitement, à Sainte-Radegonde, je crois même que vous laissâtes tomber votre canne à terre au moment le plus solennel du salut auquel je donnerai le même qualificatif... C'était bien vous, n'est-ce pas?... Il y a trois semaines?...

—Je crois... mademoiselle...

—J'ai même ri comme une folle de cet accident; vous me pardonnez, monsieur?

—Mademoiselle! Comment donc?...

A ce moment la comtesse douairière entrait majestueusement.

—Bonjour, monsieur de Mérigue, dit Mme de Vannes d'une voix somnolente. Comme vous êtes donc aimable d'avoir bien voulu répondre à mon invitation un peu improvisée... et j'ai hâte de vous exprimer tout de suite mes compliments et mes remerciements.

—Madame!...

Théodore, dans un état à peu près normal, fait son entrée comme un bouledogue. Il ne daigna pas honorer sa famille d'un regard et se jeta presque au cou de Mérigue qui fut obligé de se reculer pour ne pas être embrassé.

—Bon coeur, quoique mauvaise tête, observa la comtesse.

—J'aime beaucoup monsieur votre fils, madame, répondit Jacques.

—En ferez-vous quelque chose? interrogea Blanche.

—Je l'espère, mademoiselle.

—Moi, j'en suis sûre, monsieur. Vous me paraissez un homme à faire des miracles.

—Oh! mademoiselle!...

La porte de la salle à manger s'ouvrit à deux battants et une voix de contrebasse annonça:

—Madame la comtesse est servie.

—Monsieur, dit la douairière au poète, excusez le sans façon avec lequel je vous reçois. J'ai tenu pour la première fois à vous avoir seul et en dehors de tout apparat. Nous verrons seulement, vers la fin de la soirée, le duc de Largeay, mon futur gendre, auquel je serai enchantée de vous présenter.

Mérigue s'inclina en marmottant avec efforts:

—Très honoré, madame...

Blanche haussait les épaules, n'osant pas formuler trop haut son opinion devant un étranger.

Théodore était exclusivement occupé à faire remplir l'assiette et les verres placés devant Jacques dont il connaissait l'appétit héroïque, mais, par un phénomène bizarre, le candidat, que n'effrayaient point d'ordinaire six tranches de gigot, touchait à peine aux plats exquis et aux vins délicieux qui s'accumulaient devant lui. Blanche prit bientôt la direction suprême de la conversation et questionna Mérigue sur tout ce qui le concernait comme aurait eu faire un juge d'instruction. Elle braquait sur lui tout en riant et en babillant le feu plongeant de ses yeux noirs qui magnétisaient le jeune homme et lui enlevaient toute conscience des monosyllabes étranges qu'il plaçait çà et là au hasard, pour ne pas demeurer bouche close. Blanche procédait par interrogations précises qui ne laissaient guère place qu'aux «Oui» et aux «Non». L'étincelant et puissant orateur qui avait électrisé une réunion de douze cents personnes parvenait avec beaucoup de peine à glisser de temps à autre un: «Mon Dieu, mademoiselle! Il se peut, mademoiselle. Comment donc, mademoiselle». La comtesse douairière se taisait et Théodore mangeait avec une gloutonnerie muette. Au dessert, Blanche de Vannes interromps tout à coup l'examen qu'elle faisait subir à Jacques et lui dit à brûle pourpoint:

—Monsieur de Mérigue vous n'avez rien mangé depuis que nous sommes ici. Rattrapez-vous au moins sur les bonbons et les petits fours. Théodore nous a confié que vous étiez très gourmand. C'est un péché mignon que je comprends à merveille et dont je n'ai jamais pu me corriger malgré tout ce qu'à pu me dire M. l'abbé de la Gloire-Dieu. On va emporter ces friandises de l'autre côté et vous pourrez leur faire honneur pendant le cours de la soirée.

Mérigue s'inclina sans trouver une parole. On passa bientôt au salon, et Jacques savoura une tasse de café incomparable versée par la jolie main de Mlle de Vannes.

—Vous fumerez certainement un cigare, observa la jeune fille. Théodore va chercher tes Rotschilds bien entendu vous resterez ici. Ma mère et moi sommes parfaitement habituées à la fumée... et... je vous avouerai même que j'aimerais assez...

—Blanche... ma fille, soupira la comtesse avec effort. N'en croyez rien, monsieur de Mérigue.

—Tout au contraire, croyez-le bien, répliqua Blanche, j'adore les cigarettes d'Orient.

Mérigue hésitait à allumer un magnifique cigare que venait de lui donner Théodore.

—Je vous en prie, monsieur, dit la comtesse. Ne vous gênez point, je vous donne toute licence.

—Et moi, je... désire que vous fumiez, appuya Blanche, qui interrompit un instant sa phrase, pour ne pas dire: «Je vous l'ordonne». La conversation, pimentée par la jeune fille, continua identiquement comme elle avait commencé pendant le repas.

Mérigue laissa plus de dix fois s'éteindre son cigare... assurément sans aucun propos délibéré et, à chaque éclipse du bout embrasé, Blanche lui offrait une bougie avant qu'il eût eu le temps de faire un mouvement. Vers neuf heures et demie, un valet d'antichambre annonça: M. le duc de Largeay. Le jeune sporstmen fit une entrée rapide, adressa un sourire à la comtesse douairière et vint serrer la main de Blanche, qui le salua d'un petit signe de tête cavalier. Le duc feignit de ne faire aucune attention à Jacques, qui s'était pourtant levé à son arrivée et Mme de Vannes fut obligée de lui dire: Mon cher duc, permettez-moi de vous présenter votre vaillant candidat, M. Jacques de Mérigue.

Largeay se retourna d'un mouvement automatique, fronça les sourcils et grogna sans s'incliner d'un ton raide: «Charmé, Monsieur.»

—Très heureux, fit Jacques.

—Figurez-vous, Monsieur, dit alors Blanche, que pas plus tard qu'hier au soir, le duc nous a lu votre magnifique discours.

—Magnifique! reprit Largeay, d'un air qui semblait dire: cet animal va-t-il me ficher le camp!

Jacques comprit la situation et se prépara à prendre congé.

—Déjà, Monsieur? fit la comtesse.

—Avant dix heures? appuya Blanche.

—J'ai tellement d'occupations, répondit Jacques, mais je vous supplie de croire que je suis désolé de vous quitter aussi vite, madame.

Il insista sur le mot *désolé*, en jetant du côté du duc un regard peu sympathique.

Comme il était dans l'antichambre, Blanche lui courut après:

—Monsieur de Mérigue, lui dit-elle, prenez donc ce sac de marrons glacés, auxquels vous n'avez pas touché. Ne faites pas de cérémonies. Je sais que vous aimez ces bagatelles.—Et Jacques emporta dans ses plombs du sixième la poche de douceurs dont venait de le gratifier son idole.

—Vous recevez ce Monsieur? dit le duc à la comtesse, quand le candidat se fut éloigné.

—Mais il est très bien.

—Que lui reprochez-vous? ajouta Blanche.

—Ma chère, reprit Largeay très vexé, quand on va dans le monde, on ne prend pas un complet de cent francs à la Belle Jardinière.

—Je l'ai trouvé bien mis.

—De la confection à quatre sous!

—Dame, s'il n'est point riche, ce garçon, pauvreté n'est pas honte.

—On ne va pas dans le monde, alors.

—Allons, duc, ne l'excommuniez pas... pour n'avoir pas comme vous un coup de hache au milieu de la tête et ne pas devoir, comme vous, deux mille louis à son tailleur!

XIII

L'INDISCRET

Quand Jacques de Mérigue se fut mis au lit, toutes les pensées extraordinaires et toutes les violentes impressions qui le bouleversaient commencèrent à se calmer peu à peu, sous l'énergique influence de sa volonté. Il n'avait point rêvé, c'était bien lui, un minuscule hobereau limousin, le petit employé destitué qui venait d'être traité avec une familiarité de camarade par une jeune fille du plus grand monde qu'il osait aimer depuis un mois. Maintenant, la chimère descendait de son royaume astral et arrivait, pour ainsi dire, à la portée de ses étreintes. Il était félicité, admiré, accueilli comme un ami de longue date. Un autre sentiment n'allait-il pas naître dans une âme dépourvue de préjugés et n'ayant rien de la retenue ordinaire propre à son âge, à son sexe, à sa qualité de fiancée? Le duc de Largeay pourrait-il être renversé comme un simple ministère républicain? Jacques en était là de ses réflexions, quand un coup de sonnette se fit entendre. Il se leva de fort mauvaise humeur et ouvrit à un guenilleux du pire aspect, qui mâchonna une phrase enrhumée, où ces mots seuls émergèrent clairement: «Ouvrier sans travail.» — A dix heures et demie du soir! hurla Mérigue hors de lui-même. Voulez-vous que je vous amène chez le commissaire, espèce de gredin? Allez-vous-en et plus vite que cela... ou je vais vous passer par la fenêtre... et joignant le geste à la parole, il bouscula assez vivement le malencontreux visiteur. Le mendiant, épouvanté, se rejeta d'un bond en arrière et se mit à descendre quatre à quatre les cent vingt marches, en grommelant: «Fils de bourgeois, ça ne te portera pas bonheur!»

Jacques entendit la réflexion et son bon coeur eut bientôt dominé sa vivacité assez explicable. Il rappela le pauvre à plusieurs reprises, mais le misérable ne répondit pas et continua à descendre l'escalier sinistrement.

— Le diable t'emporte! dit Mérigue.

Le lendemain, comme six heures tintaient au campanile de Saint-Germain-des-Prés, un nouveau coup de sonnette réveilla en sursaut le candidat royaliste.

Cela devenait trop fort!

—Ah ça! ils m'ennuient, les ouvriers sans travail! cria Jacques en passant sa robe de chambre. Il ne sera pas le bienvenu, celui-là. Il ouvrit brusquement, l'injure à la bouche. C'était son élève Théodore.

—Un million d'excuses, cher Monsieur, dit le jeune de Vannes, vous savez que je dois être au collège à sept heures et demie et je voulais un peu causer avec vous.

—Vous êtes bien aimable, reprit Jacques, en faisant bon visage à fortune médiocre et se disant à part lui: «J'eusse mieux aimé un autre membre de la famille.»

—Vous me pardonnez donc de vous déranger ainsi? insista le collégien un peu gêné.

—Oui, oui. Avez-vous quelque chose de pressé à me communiquer?... une bataille... un esclandre... une retenue, un pensum.

—Mais non, Monsieur, je venais bavarder un peu avec mon illustre maître.

—Vous êtes bien gentil... mille grâces!

—Mon célèbre ami... Si vous autorisez la familiarité de cette dernière appellation.

—J'autorise... Je vous écoute, je me recouche, vous savez; asseyez-vous au pied de mon lit ou sur la table, je n'ai pas de divan à vous offrir.

—Je vais me mettre au pied de votre lit, puisque vous voulez bien... dites donc, monsieur de Mérigue, vous êtes un brave homme, n'est-ce pas?

—A peu près.

—Pas trop rancunier?

—Cela dépend.

—Vous n'en voulez pas à mon futur beau-frère?

—Pourquoi donc? grand Dieu.

—C'est que, il me semble...

—Quoi?

—Qu'il n'a pas été bien aimable envers vous, hier au soir.

—Je n'ai point remarqué cela... je n'ai pas l'honneur de le connaître... Nous nous sommes salués, je crois. Vous ne vouliez peut-être pas qu'il m'embrassât, comme vous le faites?

—Pourquoi pas?... Vous êtes notre ami, il doit être le vôtre. On a été très contrarié à la maison de son attitude à votre égard.

—C'est trop de bonté.

—Et on m'a chargé de vous exprimer les regrets de tout le monde.

—Enfin, soit, merci; je persiste à ne pas voir pourquoi nous serions ennemis... Il m'a paru très bien.

—Vous êtes bien mieux que lui.

—Je suis incompétent pour l'affirmer.

—Je ne suis pas le seul à être de cet avis.

—J'en suis charmé.

—Tout le monde est enchanté de vous chez moi, sans exception.

—C'est un grand honneur pour ma petite personne.

—Il y a surtout quelqu'un qui vous trouve très, très bien.

—Je lui en suis fort reconnaissant... Qui donc s'il vous plaît?

—Ah! dame! je ne puis pas vous dire cela, moi... c'est délicat.

—Je ne vous comprends pas, répondit avec un hoquet d'émotion Jacques de Mérigue, qui croyait très bien comprendre.

—Eh bien, je vais vous le dire.

—Je vous écoute.

—Parce que c'est vous...

—Soit, allez.

—C'est que je ne ferais pas de ces confidences-là à tout le monde.

—Allez donc!

—Je vous disais donc que tout le monde chez moi... vous comprenez, tout le monde?

—Je comprends.

—Tout le monde vous trouve très bien...

—C'est entendu.

—Mais là, très bien.

—Ce point est acquis.

—Sous tous les rapports.

—Parfait!... j'en ai pris note.

—Mais surtout quelqu'un.

—C'est ce que vous me dites depuis une demi-heure.

—Vous voudriez bien savoir qui?

—Peuh! mon Dieu non... je vous assure.

—Ne blaguez pas.

—Serait-ce M. le duc de Largeay?

—Pas celui-là.

—Mme la comtesse de Vannes?

—Vous n'y êtes pas.

—Vous-même, Théodore?

—Oh! moi, c'est entendu... mais il s'agit d'une autre personne.

—Votre concierge tricolore?

—Oh! cher Monsieur, vous vous moquez de moi.

—Qui donc, morbleu?

—Eh bien là! ma soeur!

—Cet excès d'honneur me confond.

—Elle a fait une scène au duc pour vous avoir si mal traité.

—Je vous répète, mon cher Théodore, reprit Jacques tellement radieux qu'il crut devoir prendre une mine sévère, je vous répète, mon cher Théodore, que je n'ai rien à reprocher au duc. Si j'avais à me plaindre de lui en quoi que ce soit, il recevrait mes témoins aujourd'hui même. Vous n'avez plus rien à me dire?

—Non, monsieur, je voulais simplement excuser le duc.

—L'incident est clos... Bonsoir, travaillez bien et ne prenez pas d'absinthe avant de rentrer chez vous.

Le soir même, Théodore de Vannes reprocha au duc de Largeay son peu d'amabilité pour Mérigue et trouva une délicieuse satisfaction à lui dire: «Vous savez, je l'ai vu; il m'a dit que si vous l'ennuyiez, il vous donnerait un coup d'épée.»

—Et moi, je vous donnerai une paire de claques, si vous vous mêlez de ce qui ne vous regarde pas, répondit Largeay fortement vexé.

En quittant l'hôtel de sa future belle famille, le duc, qui avait un peu bu, se sentit pris d'humeur querelleuse. Avec la rapidité de décision propre aux gens un peu éméchés, il résolut de monter chez Mérigue, de le provoquer en duel, de l'effrayer et d'obtenir de lui quelque platitude écrite qu'il pût montrer à sa fiancée. Il était onze heures du soir quand il sonna à la porte du candidat.

Mérigue fut absolument stupéfait à l'aspect de son interlocuteur et visiblement gêné de le recevoir dans un galetas aussi exigu et aussi minable.

—Monsieur, dit sèchement le duc, mon jeune ami, Théodore de Vannes, m'a dit tout à l'heure que vous vouliez me donner un coup d'épée.

—S'il vous a dit cela, monsieur, c'est qu'il était gris. Cela n'a pas le sens commun.

—Mais, monsieur, vous me semblez le prendre de bien haut.

—Du cinquième au-dessus de l'entresol... à votre service, monsieur le duc.

—Vous raillez, monsieur le professeur.

—Et vous, monsieur le duc, vous cherchez une affaire. Il en sera ce que vous voudrez. Je vous ai vu avant-hier au soir pour la première fois, nous n'avons rien à nous reprocher l'un à l'autre, je n'ai point tenu le propos qui m'a été attribué par un gamin. Maintenant, si vous tenez absolument à vous battre, je suis votre homme. Seulement, mes principes d'honneur me forcent à vous dire qu'étant provoqué je choisis l'épée, que j'ai dix ans de salle, et que vous pouvez commander votre logement au Père-Lachaise.

Le duc était abasourdi et de plus légèrement dégrisé par cette riposte en quarte à laquelle il était loin de s'attendre.

—Si vous m'affirmez n'avoir pas tenu ce langage?

—C'est fait. Je ne dis pas deux fois la messe pour les sourds!

—En ce cas, monsieur, je vous salue bien.—Et le duc sortit.

—Ah! çà, s'écria Mérigue lorsqu'il fut seul, l'autre jour la mère; hier, le frère; aujourd'hui le futur. A quand donc la fille?

XIV

LA PEAU DE L'OURS

«Mon bien cher père,

«Je suis admiré, fêté, choyé, à l'hôtel Soubise; demain à n'en pas douter, j'y serai aimé. Je ne m'amuse pas à énumérer toutes les conséquences des événements qui se passent ces jours-ci à mon sujet, et auprès desquels toutes les candidatures et tous les professorats du monde ne sont que des fétus de paille. Au reste toutes choses concordent pour me préparer le plus splendide avenir, une situation telle que dans tes rêves d'amour paternel tu n'en as jamais imaginé de semblable. Vois donc un peu: J'épouse, cela devient vraisemblable, la seule femme qui ait jamais fait battre mon coeur. Cette femme m'apporte la splendeur de l'alliance, l'opulence de la fortune et, ce qui est mieux que tout cela, l'amour sidéral, l'amour des contes de fées. Mes débuts politiques ont été assez retentissants pour me permettre d'aspirer aux plus hautes destinées dans la vie publique. Et quand je serai riche, puissant, honoré, j'aurai la plus douce des satisfactions, celle de faire du bien d'abord à vous tous, à vous, mes chères âmes, qui avez vécu, souffert et espéré avec moi, à toutes les bonnes oeuvres où se consume votre existence, à notre pauvre pays, à notre France bien-aimée. Le premier résultat des événements qui approchent sera de créer entre nous des liens plus intimes. Vous viendrez auprès de moi, et j'irai auprès de vous. Nous ne nous quitterons plus jamais. Comme cette chère petite Jacqueline sera mignonne à nos grandes réceptions! Comme tout le monde en raffolera! Comme nous lui trouverons une perfection de mari, qui ajoutera une perle nouvelle à ta couronne! Elle figurera la grâce et la gaîté. Mathilde incarnera le dévouement et la fidélité aux yeux émerveillés des gens du monde si peu habitués au contact de ces vertus. Marianne sera la sagesse vivante, l'oracle des grandes résolutions et je transporterai sur un théâtre digne d'elle cette prudence impeccable et cette infatigable activité. Maman, la pauvre et douce maman, aura le plus beau rôle. Ce sera la sainte qu'on vénérera et qu'on invoquera. Et toi, tu apparaîtras à tous les yeux, comme le grand chêne d'où sont sortis tous ces rameaux de gloire et de bonté. Il n'y a dans tout cela qu'une petite anicroche. Ma chère Blanche est fiancée à un certain petit duc fort maussade, fort ignorant, fort dépourvu de charmes. Je me laisse peut-être entraîner à des divagations, mais mon coeur et mon esprit débordent et où épancherai-je ce trop plein de sentiments et de pensées, sinon dans vos âmes qui veillent sans cesse autour de la mienne, comme ces lampes d'église qui ne s'éteignent jamais. Adieu, mon bien cher père. Je compte un de ces jours vous annoncer une grande nouvelle. Pauvre vieux repaire noble de Mérigue, tout croulant, ruines aimées, nous vous relèverons et vous aurez bien encore assez de vie pour saluer de votre bon sourire la Rédemptrice qui va venir.

«JACQUES.»

Il est inutile d'essayer de peindre l'effet produit sur le comte Joseph par cette missive de voyant et de stigmatisé. Cela n'eût pu se comparer qu'au résultat d'une étincelle électrique au milieu d'un paquet de dynamite. Cette fois il n'y eut pas de voix discordante dans la famille. Marianne elle-même paraissait convaincue et tout le monde se mettait à tirer de petits plans conformes aux désirs et aux aspirations de chacun.

Le chef de la famille parlait d'aller trouver immédiatement un architecte pour entreprendre la restauration de Mérigue commencée depuis vingt ans et à peine ébauchée pendant cette longue période pour des raisons financières faciles à découvrir. La pieuse Caroline demandait qu'avant toutes choses, on transformât en chapelle un vieux souterrain où l'on conservait les pommes de terre.

Mathilde préconisait la création d'un orphelinat et de plusieurs écoles congréganistes. Renchérissant sur cette idée, Jacqueline songeait à la fondation d'un hôpital, d'une bibliothèque de bons livres et d'un journal bien pensant que l'on distribuerait gratuitement à tous les paysans de la contrée. Marianne était beaucoup plus modeste dans les voeux qu'elle formulait. La réparation d'un vieux carrosse du temps de la Restauration, l'emplette d'un cheval de cinq à six cents francs, l'aménagement de quelques corbeilles de fleurs, l'achat de trois porcs et d'une vache à lait, constituaient pour le moment tout son programme ministériel. Elle s'opposait avec énergie à toute bâtisse, et ne voulait pas même que l'on jetât bas une étable immonde adossée à la maison et contre laquelle Jacques ne cessait de fulminer des bulles d'excommunication et des brefs d'anathème.

On but encore ce jour-là une bouteille de vieux Mérigue, et Joseph passa un grand nombre d'heures à mettre sous bandes une centaine d'exemplaires de la conférence électorale dont il voulait inonder la Haute-Vienne et les départements limitrophes.

XV

SAINT-THOMAS

—Eh bien, voyons, mon petit sceptique, disait Jacques triomphant à son ami Sermèze, après lui avoir exposé par le menu tous les détails de sa réception à la rue Saint-Dominique, que dis-tu de tout cela?

—Je dis que tu ferais bien de songer à ton élection.

—Il ne s'agit pas de cela.

—Il ne s'agit que de cela.

—Tu me confonds!—d'abord l'élection va comme sur des roulettes.

—Parfaitement... tu es en train de te faire rouler.

—Comprends pas.

—Tu as eu un grand triomphe, c'est vrai! on t'a porté aux nues. Tu es monté au Capitole, mais tu as réveillé les ombrageuses gardiennes de ce monument. L'admiration et la stupéfaction d'hier se changent en jalousie; de la jalousie à la haine, à la calomnie, à la cabale, il n'y a qu'un pas. Le comité ne te soutient que de la plus mauvaise grâce. Sans compter le duc de Belverana qui est trop occupé à la Chambre pour intervenir à tout instant, tu n'as pour toi en ce moment que le vicomte d'Escal qui te patronne encore, non pour tes beaux yeux, mais pour jouer un bon tour aux Gauburge et autres Prunières qui avaient conseillé l'abstention. Au fond son humeur n'est pas belliqueuse et sa petite manifestation inoffensive une fois exécutée, il rentrera dans son fromage comme le bon rat de La Fontaine.

—Où veux-tu en venir?

—Voici: Suppose qu'il se présente demain un autre candidat conservateur.

—Allons donc!

—Suppose-le un instant.

—Personne ne le soutiendrait.

—Tout le monde... quand je dis tout le monde, je parle des gens influents et haut placés qui voient avec peine un siège au Pavillon de Flore brigué par un jeune inconnu qui ne leur a rien demandé et ne leur doit rien, qui n'est pas de leur caste, de leur cercle, de leurs relations, de leur coterie, de leurs petits potins.

Tu garderas les convaincus, les croyants, les pauvres, les ouvriers sans travail... j'en excepte celui que tu as jeté l'autre jour dans ton escalier... Veux-tu que je te cite un exemple à l'appui de mes paroles?

—Deux, si ça peut te faire plaisir.

—C'est inutile, un seul est suffisant. Sais-tu la cause principale de l'échec du seize mai, toi vieux, seize-mayeux invétéré?

—Va toujours.

—Eh bien, c'est que l'homme intelligent et habile qui était à la tête de l'entreprise papillonnait dans les coulisses de l'Opéra au lieu de rester à son bureau.

Le jeu des dames qu'il cultivait à outrance est devenu pour lui un jeu d'échecs.

—Tu m'annonces des raisons et tu me fais des mots.

—Oui... tu es furieux de ne pas l'avoir fait celui-là, n'est-ce pas? Je te permets de le replacer.

—Tu n'es pas sérieux.

—Je te renvoie le compliment... Enfin que veux-tu donc faire à l'Hôtel Soubise?

—Être aimé.

—Une farce!

—Et tout ce que je me suis égosillé à te raconter.

—Prouve que tu es un gobeur et que si j'ai fait de toi un homme illustre, je n'ai pas réussi à te donner un grain de bon sens.

—Tu es dur.

—Non, juste.

—Pourquoi donc cet inconcevable accueil?

—Caprice, coquetterie, béguin peut-être.

—Non, amour.

—Tu me fais rire... à me faire pleurer.

—Que veux-tu parier?

—Eh bien, tiens, les dix louis que je t'ai prêtés, et dans des conditions tout à fait avantageuses. Si tu es vraiment aimé, tu ne me devras plus rien. Si tu ne l'es pas, si le coeur que tu prends pour un brasier ardent n'est qu'une simple glace, tu m'en paieras une à la vanille chez Tortoni.

—Fort bien!... Mais entre moi qui tiens pour la canicule et toi qui crois aux neiges hyperboréennes qui te sera le juge départiteur?

—Ma femme.

—J'accepte.

—Dans quelles conditions ferons-nous l'expérience?

—Dame! je vous raconterai sans rien omettre tout ce qui se passera.

—C'est insuffisant... Nous voulons voir... comme Saint Thomas... et puis, entre parenthèses, je t'engage vivement à faire en sorte qu'il ne se passe rien du tout.

—J'ai une idée. On va exécuter à Saint-Roch les vieilles mélodies de la Sainte-Chapelle. Le divertissement sacré sera couru comme une première de Labiche ou une réception d'Académie. Les billets d'avant-scène... pardon, de nef centrale, sont au prix de deux louis. On peut donc les offrir à des personnes comme il faut. J'en aurai cinq quand je voudrai par la duchesse de Belverana. J'inviterai ces dames de Vannes et je les accompagnerai au spectacle... pardon, à l'église. Vous y viendrez également ta femme et toi. J'arriverai de bonne heure et vous ferai garder deux bonnes chaises par l'ouvreuse... je veux dire par le bedeau, tout juste derrière les nôtres. Je causerai avec la jeune fille, ô ma pauvre maman, excuse ce sacrilège!—Vous observerez et ta femme concluera.

—Voilà qui est arrangé. Quelle bonne glace tu vas me payer.

—Comme je vais purger agréablement ma dette.

—A quand cette clinique à l'Erotoscope?

—Après demain, de cinq à sept heures.

—La présence de la comtesse douairière ne gênera-t-elle pas vos communications?

—Ah! mon cher, elle brodera... ou plutôt, vu la sainteté du lieu, elle s'éventera et s'endormira.

—Et le duc de Largeay?

—Je ne lui octroie point de carte.

—S'il t'envoie la sienne?

—Il a déjà eu quelques velléités à ce sujet, mais elles se sont évanouies quand il a su que j'avais dix ans de salle.

—Comment l'a-t-il appris?

—De ma propre bouche.

—Et qu'a-t-il répondu?

—Qu'il considérait cette déclaration comme une lettre d'excuses plates.

—Ah! mon cher Mérigue, pauvre emballé, pauvre coeur généreux! Tu seras roulé, tu seras enfoncé! Ces gens-là sont trop pratiques.

C'est égal, à la prochaine réunion publique, je veux proclamer ce petit duc le premier champion des idées conservatrices.

XVI

UNE PREMIÈRE A SAINT-ROCH

L'église est éclairée comme aux soirs de grande fête. Les lampes, les torchères, les candélabres resplendissent çà et là d'un plus large éclat parmi l'immense forêt des cierges. Une buée de poussière lumineuse flotte sous les voûtes et noie les piliers. Les orgues mugissent et leur grande voix fait trembler les murailles comme la fureur d'un ouragan.

Les pompes religieuses se déploient dans toute leur majesté et dans toute leur gloire, et pourtant il est aisé de reconnaître que parmi la foule dont le temple est bondé, les véritables fidèles sont en petit nombre. Sans parler des chanteurs profanes qui sont aux premières places du choeur, des journalistes et des reporters qui bavardent et gesticulent, de la masse des pauvres empilés au seuil des portes, et qui sont venus là, poussés par une attraction indéfinie, prendre un bain de lumière et d'encens, les personnes de la société que l'on remarque dans la grande nef n'ont point l'attitude recueillie des pieux croyants qui fréquentent d'ordinaire la maison du Seigneur.

De tous les côtés on jase, on rit, on se pousse. Quelques personnes exhibent des lorgnettes, toutes les dames ont leur éventail; on en découvre qui ne prennent aucune précaution pour dissimuler des romans: On s'attend à voir ces messieurs allumer leurs cigares. Jacques de Mérigue avait délaissé encore ce jour-là ses préoccupations électorales. Il était à l'église depuis deux heures pour réussir à procurer les meilleures places à ses invités de distinction. Le groupe qu'il a amené est à deux pas de la grande balustrade. La comtesse douairière et sa fille ont deux chaises en velours et sont assises l'une à côté de l'autre.

Le candidat royaliste est à la droite de Mlle de Vannes.

En arrière, immédiatement, se sont établis le baron et la baronne de Sermèze, très adroitement, sans broncher et sans que personne puisse soupçonner leur complicité avec l'amoureux. Impossible au reste de rêver un observatoire plus favorablement disposé. Le jeune baron peut sans avancer le bras jouer du piano s'il le veut sur le dos de Jacques, et si la baronne en prenait la fantaisie, rien ne s'opposerait à ce qu'elle tirât les cheveux aux très illustres personnes qu'elle est chargée d'examiner.

Mme de Vannes n'avait point sans doute apporté l'auguste ouvrage où ses doigts placides se mouvaient pendant les longues soirées, mais, à la façon dont ses mains ouvertes reposaient sur ses genoux, béatement couvées par son regard atone, il était aisé d'affirmer que la noble douairière laissait errer son âme autour des festons d'une broderie céleste.

La maîtrise, aidée de plusieurs artistes des meilleurs concerts parisiens, exécutait en ce moment une grande mélopée lugubre où l'on reconnaissait des accents de l'aède formidable qui rêva jadis le *dies iræ*.

L'âme poétique de Mérigue se laissait entraîner déjà au courant de ces notes funèbres, quand Mlle Blanche, qui paraissait être d'une humeur aussi peu mortuaire que possible, donna au jeune homme à l'aide de son coude une légère poussée qui le fit tressaillir.

—Voyez donc maman qui fait du point d'Angleterre, dit-elle en montrant sa mère assoupie.

Jacques eut un sourire de commande qui signifiait: Mon Dieu, mademoiselle, comme vous avez de l'esprit!

—Vous savez, continua Blanche, j'ai fait toutes mes prières ce matin, nous allons causer un tantinet si ça vous est égal.

—Comment donc, mademoiselle.

—Ce sera une peccadille de plus à avouer la prochaine fois que j'irai voir M. l'abbé de la Gloire-Dieu.

—Espérons, mademoiselle, qu'il ne vous infligera pas une trop cruelle pénitence.

—Si je n'avais jamais fait de plus grand péché que celui-là!... il est très sévère M. l'abbé de la Gloire-Dieu...

—Je le connais, mademoiselle, je le respecte infiniment, et je vous avouerai même que je l'aime beaucoup.

—Ah! monsieur, comme vous devenez sérieux... avec cette musique d'enterrement par-dessus le marché... Vous allez me donner des idées noires.

—A Dieu ne plaise, mademoiselle... je puis vous assurer que les nuances sont d'une autre couleur.

—Ah! tant mieux. Vous êtes gai aujourd'hui?

—Tout à fait, mademoiselle.

—Un peu plus que l'autre jour au dîner et à la soirée, dites?

—Mais, mademoiselle je ne sache pas...

—Vous aviez absolument... Ah non, je ne peux pas vous dire cela tout de même...

—Je vous écoute, mademoiselle...

—Vous ne m'en voudrez pas, bien sûr?

—Comment donc, mademoiselle!

—Eh bien!... vous aviez l'allégresse d'un bonnet de nuit. Vous ne souffliez pas une parole.

—Mademoiselle... j'avais vraiment... tant de plaisir à vous écouter.

—Ah! que ce madrigal est mal tourné, fi donc!

—Il est si rare que les jeunes filles aient une conversation agréable...

—Prenez garde!... en vous moquant des jeunes filles, vous aggravez votre cas, le médiocre compliment devient une épigramme.

—Je voulais dire, mademoiselle, que vous êtes une remarquable exception.

—Ah! quel adjectif d'académicien! Vous avez passé par le pont des Arts pour venir ici?

A ce moment, les orgues entonnaient une mélodie d'hosanna et de triomphe, une sorte de magnificat agrandi, noyé dans un *Veni Creator*.

—Ils étaient sinistres... les voilà solennels, observa Blanche avec un haussement d'épaules. Ils ne répondent nullement à la disposition de mon âme.

—Vous désiriez peut-être, mademoiselle, quelque chose de plus alerte, de plus... sautillant?

—Pas tout à fait, quelque chose...

—Comme les *Cloches de Corneville* ou le *Canard à trois becs*.

—Vous voyez bien que vous moquez de moi, dit Blanche, en appliquant, d'un mouvement primesautier et spontané, un petit coup d'éventail sur le bras de son voisin qui frémit de l'extrémité des cheveux à la pointe des pieds, comme au contact d'une batterie électrique...

—Recevez toutes mes excuses, mademoiselle, reprit-il d'une voix tellement troublée que la jeune fille quitta subitement sa mine rieuse et enjouée.

—Je vous ai fait de la peine, monsieur de Mérigue?...

—Ah! mademoiselle, que dites-vous là! de la peine... mais c'est moi qui suis un malappris et qui me permets des plaisanteries déplacées.

—Comment déplacées? Est-ce que vous allez pleurer maintenant?... ou vous gêner... avec moi. Nous ne sommes pas ici pour nous assommer, je pense?...

—Je suis confus, mademoiselle... vraiment... de la façon indulgente et charmante... avec laquelle vous tolérez mes excès de langage.

—Mais vous n'y êtes pas du tout... je ne les tolère pas... je les approuve. Je ne veux pas mourir d'ennui au milieu de ces vêpres. Si encore, c'était la musique que j'aime!... car je vous l'avouerai, il y en a une que j'adore!...

— Beethoven, Mozart, Mendelssohn?...

— Ah! ouitche, vous n'y êtes pas...

— Meyerbeer, Hadyn, Haendel...

— Vous ne brûlez pas du tout...

— Alors votre musique favorite?...

— Est celle de Donizetti... sans calembour.

— Avec un calembour charmant, bien au contraire.

— Tenez, tenez, dit tout à coup Blanche attentive, écoutez bien. Voilà ce dont je raffole.

En cet instant s'élevait lentement sous la nef une mélodie amoureuse et plaintive. Les instruments de sonorité puissante s'étaient tus soudain. On n'entendait plus que les hautbois et les flûtes vaguement accompagnés par quelques notes basses des grandes orgues qui enveloppaient les hautes modulations comme le vent des forêts murmure autour du chant des oiseaux. C'était une supplication ineffablement douce, sans cris, sans effroi, sans désespérance; un long accent mélancolique, un tendre appel aux illusions perdues, un hymne de tendresse aux chimères envolées qui reviendront peut-être en un printemps lointain avec le choeur des hirondelles; et si, pour jamais elles se sont effacées, si leurs formes aériennes se sont évanouies dans l'immensité éternelle, leur souvenir enchanteur et profond garde assez de magie à travers l'espace, pour bercer les âmes veuves en une extase qui ne finit pas. Une tranquille aspiration vers l'azur bleu par delà les voûtes sombres, sur les ailes de l'encens illuminé par les cierges. Les accords diminuant leur ampleur en ralentissant leur mesure s'éteignaient insensiblement. Bientôt une seule flûte exhalait sa note cristalline qui allait s'affaiblissant d'inflexions en inflexions, de soupirs en soupirs, de tremblements en tremblements, et le dernier son était expiré, que toutes les oreilles en poursuivaient encore dans un infini très vague le prolongement idéal.

Subjuguée depuis un moment déjà par la puissance de cette harmonie, la multitude bigarrée et tapageuse qui emplissait les trois nefs gardait un silence ébahi. Les femmes souriaient, les gens du peuple tendaient le cou et ouvraient la bouche, les journalistes encensaient d'un léger mouvement de tête; les clubmen laissaient tomber leur monocle et chuchotaient à demi-voix en tapotant l'une contre l'autre les extrémités de leurs gants: Braô, braô! La comtesse douairière assoupie rêvait sans doute aux tapisseries de Pénélope, Blanche de Vannes et Jacques de Mérigue s'étaient inconsciemment rapprochés, si rapprochement il peut y avoir dans une foule où tous les assistants sont coude à coude. Quand la musique eut cessé, leurs mains se touchaient. Ils se regardèrent gravement et ne modifièrent point leur attitude. Quelques secondes s'écoulèrent. Puis Blanche eut comme un réveil subit et dit presque à voix haute: Véritablement on étouffe ici!

—Désirez-vous vous retirer, mademoiselle, demanda Jacques. Je vais essayer de vous ouvrir un passage.

—Vous êtes fou, mon cher, exclama Mlle de Vannes en éclatant de rire... Mille pardons... monsieur... je vous prenais pour le duc... enfin vous ne songez pas de vouloir traverser l'Océan humain qui nous sépare du grand air.

—Tout me sera possible, tout me deviendra facile, mademoiselle, dès qu'il s'agira de vous être agréable.

—Tiens! voilà que vous revenez maintenant au madrigal.

—Ah! pour ça non, reprit Mérigue un peu vexé, j'ai autre chose en tête que des fadaises.

—Pourrai-je savoir quoi?...

—Je... vous le dirai peut-être quelque jour..

—C'est-il bien intéressant?

—Peut-être.

—Bien drôle?

—Oh! pas du tout... Vous ne pensez qu'aux drôleries...

—Dame! avouez qu'il est permis d'y songer un peu après un spectacle aussi désopilant que celui qui nous est offert sous ces portiques sacrés!

—Mon Dieu! mademoiselle, permettez-moi de vous le répéter, je ne suis point en veine de plaisanteries ce soir. Ne m'en veuillez pas.

—Vous êtes dans une période d'hypocondrie?

—Je ne dis pas cela... mais depuis l'exécution du morceau... je suis sous l'empire d'une foule de pensées.

—Qui ne divertiraient pas le public du Palais-Royal.

Cette réflexion fit de nouveau froncer le sourcil à Mérigue. Quelle drôle de petite personne, se disait-il. Elle n'a pas l'air de se rappeler qu'il y a cinq minutes... Ah! mon Dieu... elles sont toutes comme ça... Je conçois que le sacré Concile de Trente ne leur ait accordé l'âme qu'à la majorité d'une voix. Mme Krauss chantait l'*O Salutaris*, les vapeurs de l'encens envahissaient tout l'espace.

—Ce n'est pas du tout rigolo, hasarda Blanche. Je l'aime mieux dans les *Huguenots* ou dans la *Juive*.

Mérigue restait taciturne.

—Monsieur, dit alors la jeune fiancée du duc de Largeay, Maman voudrait vous avoir à dîner lundi prochain. En cas qu'elle ne se réveille point d'ici là, je fais la commission. Aurons-nous le plaisir de vous voir à sept heures et demie?

—Très certainement, mademoiselle, répondit Jacques un peu rasséréné.

—Si toutefois vous n'avez rien de mieux à faire.

—Aucune partie de plaisir ne peut m'être aussi agréable, croyez-moi bien.

—Tiens! voilà Faure qui chante le *Tantum Ergo*. Je l'aime mieux dans *Don Juan*.

—Voulez-vous que tout à l'heure je me mette à la recherche de votre voiture?

—Ah! vous êtes vraiment la perle des chevalier servants, mais... nous sommes venues à pied.

—A pied, mademoiselle?...

—Cela vous étonne? J'adore les promenades à pied, moi... On voit, on entend. On se rend compte. On compléte par un petit travail personnel, l'éducation un peu étroite de ces bonnes dames du Sacré Coeur... enfin... on ne reste pas sainte Nitouche!

—Oh, mademoiselle, laissa échapper Jacques, je ne sais pas à quel feuillet du martyrologe est situé cette bienheureuse. Mais sa fête ne tombe assurément pas le jour de votre anniversaire.

Dès que Jacques eut pris congé de Mme et de Mlle de Vannes, il alla retrouver les Sermèze qui l'attendaient auprès de la grille des Tuileries...

—Eh bien, cher ami, que ta femme se fasse un instant pythonisse et nous prononce l'oracle, dit-il d'un air triomphateur.

—C'est inutile, reprit le baron. Nous sommes tous les deux du même avis. Elle te gobe et... tu l'aimes. Pauvre Jacques!...

XVII

LE SATYRE

—Je ne comprends point les distinctions bizantines de cet excellent Sermèze, pensait Mérigue en avalant à la hâte un atroce dîner à vingt-cinq sous chez un mastroquet de dernier ordre—elle me gobe, dit-il; je ne suis pas une mouche que je sache.—Si elle a un penchant pour moi, ce qu'il avoue maintenant, ce sentiment-là, qui peut avoir des degrés, n'a pas trente-six noms dans le dictionnaire. Mes affaires sont diablement avancées, toute glace est rompue entre nous, aucune vaine retenue ne préside plus à nos entretiens—sa petite main est restée dans la mienne—sa jolie petite main, si fine, si blanche, si moelleuse au toucher avec ses ongles tellement brillants qu'ils ressemblent à des yeux et voilà qu'au lieu de penser à elle, il va falloir me rendre à cet affreux comité... passer deux heures sans autre consolation qu'une cigarette de la Régie offerte solennellement par le vidame du Merlerault. Ah mais, ils finissent par m'ennuyer avec leurs convocations! Ils me flanquent des blâmes. Ils ne se fendent pas d'un liard, et par-dessus le marché, ils me font venir trois fois par semaine, pour me donner leur appui moral. Je vais les arranger ce soir. Pourquoi me gêner? Quand je serai le mari de Mlle de Vannes... je lui ferai des papillottes avec leur appui moral.

La séance du Comité s'ouvrit à neuf heures du soir en présence du candidat. Le président, après l'avoir complimenté sur le succès de sa conférence, donna la parole au chevalier de Sainte Gauburge. Le vénérable burgrave pataugea, barbouilla et bredouilla pendant une grande demi-heure pour reprocher à Jacques la trop grande vivacité de ses attaques contre le gouvernement. Mérigue riposta avec une telle énergie que le président lui fit observer avec un sourire aigre doux qu'il se croyait sans doute dans une réunion républicaine.

—Bien pire que cela, dit Mérigue, je me sens au milieu d'une assemblée d'impuissants et d'inutiles.

—Vous êtes bien jeune pour nous juger, dit sentencieusement M. de Saint-Benest.

—Et vous bien âgés pour me commander, répliqua Jacques exaspéré.

La discussion se continua sur ce ton et se termina par cette apostrophe un peu méritée, mais assez dure de l'impétueux candidat.

—Je vous ai tout à l'heure traités d'inutiles: Messieurs, cela soit dit sans faire aucune personnalité. On a eu l'air de s'indigner. Des personnes dignes de foi m'ont pourtant affirmé que votre comité, qui renferme dans son sein les premières fortunes de la France, avait refusé de voter une cotisation hebdomadaire d'un franc par tête proposée par le vicomte d'Escal.

A l'issue de la réunion le vicomte d'Escal prit Mérigue à part et lui dit: «Mon cher ami, je vous adore, mais vous me compromettez... Je suis de votre avis sur bien des points, mais il y a des choses que l'on se contente de penser. Je ne pourrai plus vous soutenir avec la même liberté d'allures. Tâchez donc de vous calmer un peu.» Mérigue ne répondit pas et regagna son sixième étage.

—Quelle misère, s'écria-t-il en se jetant sur sa couchette, quelle misère d'être obligé de penser à toutes ces vieilles perruques, quand une jeune chevelure si splendidement soyeuse s'offre avec obstination aux baisers de mes lèvres.

Si j'avais osé dans cette grande église... ô sainte maman, pardonne-moi ce sacrilège, quelle distance pouvait-il bien y avoir de sa joue à la mienne? Dans combien de jours l'aurai-je franchie... vais-je lundi soir lui déclarer mon amour... pas encore... il est vrai que si son amabilité s'accroît toujours dans les mêmes proportions, elle m'aura sauté au cou avant la fin de la soirée. Elle m'a appelé mon cher... elle, Blanche de Vannes, fiancée au duc de Largeay! Ce duc me gêne. Mais en ce moment son étoile descend tandis que la mienne monte... Oh! quand je me promènerai dans les bois de Mérigue avec Blanche à ma droite et Jacqueline à ma gauche!

Le lundi suivant et cette fois à sept heures et demie très précise, Mérigue correctement équipé faisait son entrée dans le salon de l'hôtel Soubise.

—Vous êtes en retard, Monsieur, lui dit Blanche.

—Je ne crois pas, mademoiselle.

—Quant les bons amis n'arrivent pas une demi-heure d'avance, nous estimons ici qu'ils se mettent en retard; n'est-ce pas, maman?

—Je suis absolument de l'avis de ma fille, Monsieur de Mérigue, prononça rêveusement la comtesse douairière.

—Et moi aussi, dit le gros Théodore.

—La façon sympathique dont vous me recevez me rend véritablement confus, Madame, reprit Jacques.

—C'est que, voyez-vous, poursuivit Théodore avec un rire malin, comme je vous l'ai dit l'autre jour, tout le monde vous aime ici.

Mérigue rougit, Blanche resta impassible.

—Surtout, continua le terrible collégien, surtout vous savez qui?

—Je sais que c'est vous, mon cher Théodore, eut la force d'affirmer Jacques, tandis qu'il avait des tentations formidables de pulvériser son élève.

L'annonce du dîner mit fin à ce colloque désagréable.

Jacques, tout à fait enhardi, mangea comme quatre, parla beaucoup, et empêcha Théodore de placer un mot.

L'adolescent faisait de vains efforts pour recommencer la série de ses allusions inopportunes. Quand on fut revenu au salon, Jacques attira le jeune homme à part et lui souffla ces simples mots à l'oreille: «Si vous y revenez, je vous fais passer par la fenêtre.» Théodore se pinça les lèvres, se renferma dans un silence absolu et jeta à son professeur un coup d'oeil haineux. Il prétexta ensuite une grande fatigue et se retira dans sa chambre.

—Quel bon débarras! avoua Jacques en se penchant légèrement vers Mlle de Vannes.

—Quoi donc! vous faites attention à ce gamin, répliqua Blanche en haussant les épaules.

La comtesse douairière était complètement absorbée dans ses travaux manuels: «Nous allons causer littérature et poésie ce soir, dit Blanche en versant un petit verre de Kummel à son invité.

Mérigue répondit... De tout mon coeur Mademoiselle.

—Mais auparavant, Monsieur, aimez-vous les marrons cuits sous la cendre, j'ai un talent tout particulier pour les réussir.

—Je les adore, mademoiselle, repartit Jacques qui ne pouvait pas les sentir.

—Eh bien! attendez, je vais vous préparer un petit régal, j'en ai quatre... Nous en mangerons deux chacun...

—Et madame la comtesse?

—Oh! elle brode.

A ces mots l'étrange petite cuisinière sortit de sa poche deux paires de châtaignes, les fendit d'un coup de ses ciseaux d'or et les glissa délicatement sous la cendre chaude du foyer.

Puis elle resta assise sur le tapis et dit à Jacques:

—C'est l'affaire de cinq minutes.

Au bout d'un quart d'heure Blanche retira ses marrons avec la pincette, les plaça avec grand soin sur une petite soucoupe en porcelaine de Sèvres et les présenta à Mérigue, le plus gracieusement du monde. Jacques prit le plus petit et le mangea. Il était entièrement pourri, mais par un phénomène tout psychologique, on le déclara supérieur à tous les marrons glacés de Boissier.

Au moment où Blanche en portait un à ses lèvres:

—Ma fille, soupira la comtesse, prends garde à ne pas casser tes dents.

—Oh! oui, prenez bien garde, dit Mérigue avec sollicitude.

La douairière se replongea dans ses labeurs et Blanche fit avaler successivement trois châtaignes également avariées à son bien heureux admirateur.

Après cette petite collation, la quatrième Grâce s'approcha de la grande table de marbre entièrement couverte de journaux illustrés, de brochures, de romans, de poésies célèbres.

—Quel est votre poète préféré, Monsieur de Mérigue, commença Blanche en guise d'exorde.

—Vous le devinez, mademoiselle, celui que tous les faiseurs de vers appellent: mon cher maître.

—Hugo, en d'autres termes, dit mademoiselle de Vannes.

—Victor? interrogea la douairière.

—Non, maman... Georges... Brodez donc. Nous parlons très sérieusement avec Monsieur de Mérigue.

—Eh bien, Monsieur, je suis entièrement de votre avis, bien que je ne connaisse qu'une faible partie de l'oeuvre du grand homme. Ruy Blas en particulier m'a énormément plu... Ce ver de terre amoureux d'une étoile...

—Est mon emblème, Mademoiselle, figurez-vous en effet, qu'à l'âge de quatorze ans, j'avais le projet bien arrêté de conquérir les astres.

—Et vous êtes en chemin, Monsieur... vous serez conseiller municipal dans huit jours... député dans six mois.

—Ah! de tout cela, je me moque absolument. Les météores politiques sont trop mesquins pour le ciel de mon âme.

—Quelle jolie phrase, Monsieur! Revenons à Hugo... à ce propos, voulez-vous me rendre un service?

—Je suis votre esclave, Mademoiselle.

—Oh! c'est trop. Soyez tout bonnement mon interprète pour quelques minutes. J'ai lu ce matin la grande pièce de la *Légende des*

Siècles intitulée *le Satyre*... je n'ai pas très bien compris ce que disait cette *bouche d'ombre*. Voulez-vous me l'expliquer... vous qui savez tout?

—Volontiers, Mademoiselle, mais permettez-moi d'ouvrir une petite parenthèse... allons-nous être interrompus par cet excellent M. de Largeay?

—S'il n'y a que lui qui vous gêne, rassurez-vous. Je lui ai fait dire qu'il ne me trouverait pas ce soir.

—Que de gracieuses attentions, Mademoiselle!

—Ainsi nous sommes seuls avec la chère poésie... Et maman, qui brode. Je vous écoute, monsieur de Mérigue. Je ne demande pas mieux que d'être charmée.

—Le satyre, Mademoiselle, est un pauvre habitant de la terre.

Presque toujours couché sous l'ombrage des forêts il ne lui est jamais arrivé de contempler l'Olympe radieux. Le Satyre est gauche et timide, et son corps, ployé aux voûtes des cavernes, n'a point l'éclat et la beauté dont resplendissent les habitants des cieux.

La Terre, sa pauvre mère, l'a créé humble et difforme, et chétif et dénué; pour tout héritage il n'a reçu qu'un chalumeau. Mais ce chalumeau est un don superbe, car l'humble satyre en connaît l'harmonie profonde; il peut, au gré de ses caprices, surpasser en terreur le grondement de la foudre et vaincre en doux ravissement la mélodie des oiseaux. Or les dominateurs de l'Olympe s'ennuient parfois dans leur sereines élévations, et ils ont appris un jour, par la bouche de la Renommée, leur plus fidèle esclave, qu'il existe bien loin, en bas sur notre globe obscur, caché au fond d'un antre solitaire, un petit joueur de flûte dont la musique charmerait les astres.

Les dieux ordonnent qu'il leur soit amené, et quand, ébloui par la lumière inconnue, le satyre entre dans l'Olympe, il est accueilli d'abord par une tempête d'éclats de rires, lui, indigent, maladroit, contrefait en présence des Invincibles et des Immortels. Et Vulcain est le seul à ne pas railler le nouveau venu.

Cependant, sur l'ordre des maîtres, le satyre à pris son chalumeau, et le voilà qui module des sons plaintifs et tendres qui vont éveiller la pitié dans les coeurs inexorables qui n'ont jamais su pardonner. Puis il chante l'Amour et l'ivresse qu'il a connus en cueillant les raisins d'or, et en reposant sa tête sur les seins blancs des Hamadryades. Les Olympiens se regardent entre eux et se demandent avec étonnement qui a pu enseigner ces divins accords à un misérable fils de la Terre. Tout à coup l'habitant des forêts s'est souvenu des jours d'ouragan, et son harmonie sauvage s'enfle jusqu'à dominer le tonnerre. De ce frêle chalumeau qu'une étincelle embraserait échappent en ondes inépuisables les clameurs de la tempête et les rugissements de la mer. L'Olympe est ébranlé dans ses fondements éternels; Jupiter, le Roi des Rois, vient s'incliner aux genoux du satyre. Un grand aigle effrayé tombe à ses pieds, et autour de son corps glorifié, dans la ferveur d'un amour immense, viennent s'enrouler les bras de Vénus.

Jacques ne parlait plus, et Blanche, entièrement hypnotisée, dévorait le jeune homme de toute la flamme de ses regards.

—Vous êtes splendide, Monsieur Jacques, lui dit-elle.

La porte s'entrouvrit et un laquais annonça:

—Monsieur le duc de Largeay.

XVIII

LE PRESBYTÈRE DE SAINTE-RADEGONDE

—Mon cher duc, dit Blanche à son fiancé d'un ton légèrement impertinent, vous serez puni d'avoir forcé la consigne. Je m'étais réservé cette soirée pour effectuer quelques travaux littéraires à l'occasion desquels M. de Mérigue veut bien me prêter les lumières de son talent. Vous allez être condamné à entendre un tas de choses auxquelles vous ne comprendrez rien.

—Le plaisir d'être avec vous me suffira, dit Largeay, qui avait sans doute pris son parti d'être insensible aux coups d'épingles de sa fiancée.

—Et je m'en voudrais, ajouta Jacques, de m'imposer plus longtemps. Si vous voulez bien, mademoiselle, nous continuerons une autre fois cette intéressante étude sur la *Légende*?

—Comment, vous partez? demanda Blanche, eh bien, promettez-moi quelques instants de votre temps précieux pour après-demain soir, le jour même des élections. Votre triomphe sera déjà un fait acquis et nous pourrons tous vous en féliciter.

—Tiens, mais à propos, dit Largeay, il vient de surgir une candidature *in extremis*.

—Républicaine? demanda Blanche.

—- Non, conservatrice, nuance impérialiste.

—C'est un peu fort! laissa échapper Mérigue.

—Mon cher duc, vous êtes décidément un oiseau de mauvais augure, répliqua Mlle de Vannes. Qui est donc ce malfaiteur public qui vient diviser à la dernière heure les voix des honnêtes gens.

—Le vieux baron Grémoli, l'administrateur général de la Banque Universelle. Sa fortune immense en fera pour M. de Mérigue un redoutable concurrent. Une nuée d'afficheurs sont en train de coller partout sa proclamation depuis la tombée de la nuit.

A ces dernières paroles du duc, Mérigue prit son chapeau et salua ses hôtes.

—N'oubliez pas que nous vous attendons après demain soir, dit Blanche.

Mérigue s'inclina et sortit. Il put entendre la phrase suivante, adressée au duc par la jeune fille: «Vous arrivez toujours comme mars en carême!»

Les fâcheux pronostics de Sermèze venaient de se réaliser. Le talent et la jeunesse de Jacques lui avaient fait beaucoup de jaloux, et sa raideur, avec ceux qu'il accusait d'une tiédeur trop grande, avait indisposé contre lui la foule immense des timides et des hésitants. Les impérialistes, assez nombreux dans le quartier, ayant eu vent de l'état des esprits avaient déterminé un de leurs chefs, le baron Grémoli, à poser sa candidature. Le choix de ce personnage était des plus habiles. Grémoli, homme de cercle et de plaisir, était fort riche et possédait une foule de relations dans le monde royaliste. Il avait les nombreuses sympathies que savent toujours attirer les bénisseurs affligés de grosses rentes, d'un peu de scepticisme, et dont les lumières intellectuelles ne sauraient porter ombrage à personne.

Dès le lendemain, Mérigue, délaissant cette fois ses préoccupations amoureuses, se mit à parcourir le quartier pour réchauffer le zèle de ses partisans. Comme le lui avait prédit Sermèze, il ne tarda pas à s'apercevoir que les gens du peuple et les petits boutiquiers lui resteraient fidèles, mais qu'il ne fallait faire aucun fonds sur les trois quarts des personnes de la société. Il trouva au comité une froideur voisine de l'indifférence. Le vicomte d'Escal lui-même, mobile comme tous les enthousiastes, ne lui cacha point que la partie était légèrement compromise. Mérigue se livra à des pointages laborieux et parvint en peu de temps à cette conviction que l'arbitre de l'événement électoral serait le clergé des deux paroisses Saint-Barthélémy et Sainte-Radegonde. Cette dernière considération lui rendait un espoir notable. Le baron Grémoli était protestant et Jacques ne pouvait guère s'imaginer que les prêtres et ceux qui étaient sous leur influence immédiate, donnassent leurs voix à un hérétique. Il alla trouver immédiatement l'abbé de la Gloire-Dieu, qui lui répondit: «Mon cher enfant, vous pouvez compter sur moi et sur tous ceux qui accordent quelque créance à mes conseils; mais il ne faudrait pas vous attendre à avoir dans votre camp l'unanimité de mes confrères. A côté des raisons de doctrine et d'opinion qui, à mon humble sens, devraient dominer en une question pareille, il y a une foule d'autres considérations, plus ou moins avouables, qui entraînent malheureusement certains caractères opportunistes, honorables sans doute, mais insuffisamment pénétrés de l'esprit chrétien. Tout ce que je puis vous promettre, mon bon Jacques, c'est de ne jamais vous abandonner.»

Précisément, la veille au soir, pendant que Mérigue commentait Hugo (Victor), devant Mlle Blanche émerveillée, une réunion politique se tenait au presbytère de Sainte-Radegonde, à l'effet de déterminer l'attitude électorale du clergé. Le curé de Sainte-Radegonde, l'abbé Roubley, avait convoqué chez lui son confrère de Saint-Barthélémy, l'abbé Vaublanc, qui arriva en compagnie de ses deux premiers vicaires, MM. de la Gloire-Dieu et Marquiset. A sept heures, les quatre ecclésiastiques s'étaient trouvés réunis à la table de M. le curé Roubley. Chacun de ces messieurs se comporta pendant le dîner de façon à indiquer d'une manière très nette son caractère, son opinion, et même l'avis qu'il allait émettre sur l'affaire à l'ordre du jour. Inutile de dire que l'abbé Roubley avait servi à ses hôtes un repas solide, substantiel, plantureusement ecclésiastique, accompagné de ces vins sérieux, bien soignés, de provenance sûre, que le phylloxéra épargne et que les négociants respectent en faveur des ministres de la religion. Le curé Vaublanc mangea de tout lentement, consciencieusement, dogmatiquement, revenant de préférence aux viandes nourrissantes et aux légumes opulemment beurrés. Il but avec la même pose méthodique, avec la même componction dévote. Le doyen de Sainte-Radegonde se contenta d'un perdreau et de quatre verres de vieux bourgogne des bons crus moyens. Le vicaire Marquiset fit la très petite bouche et grignota surtout les friandises du dessert, qu'il arrosa de quelques gorgées de Pontet-Canet. L'abbé de la Gloire-Dieu n'accepta, suivant son habitude, que de la soupe, du pain et de l'eau.

Les questions politiques ne furent abordées qu'au moment du café, sur la demande expresse de l'abbé Vaublanc qui prétendait, en bon et raisonnable apôtre, faire chaque chose en son temps. Ce digne homme exhiba, à l'issue du festin, une grosse pipe en merisier, tandis que l'abbé Roubley sectionnait l'extrémité d'un petit havane et que Marquiset allumait à une bougie une cigarette du Levant. L'abbé de la Gloire-Dieu toussa à trois reprises en jetant sur ses confrères un regard qui, traduit en langage ordinaire, eût fait une phrase peu charitable. On crut utile de constituer un président pour diriger la discussion. Cet honneur échut naturellement à l'abbé Vaublanc qui s'exprima en ces termes:

—Messieurs et honorés confrères, nous nous sommes assemblés aujourd'hui à la table si hospitalière du presbytère de Sainte-Radegonde, d'abord pour faire un excellent dîner... ceci entre parenthèses, mais pour nous occuper de la question électorale avant tout.

—Pardon, après tout, interrompit doucement l'abbé de la Gloire-Dieu.

—...Et pour déterminer quelle sera notre attitude au scrutin qui va s'ouvrir, poursuivit l'abbé Vaublanc, sans paraître avoir entendu la réflexion de son subordonné. Nous avons en première ligne un jeune homme, ardent, convaincu...

—Un peu trop convaincu peut-être, observa l'abbé Roubley, avec un sourire malicieux.

Le président continua:

—Je dis ardent, convaincu, honnête, bon catholique, ce qui doit être pour nous de quelque importance...

—Ce qui doit être tout pour nous, dit l'abbé de la Gloire-Dieu.

—Je ne vais pas jusque-là, rétorqua le curé Roubley.

Le doyen de Saint-Barthélémy poursuivit:

—Je ne puis reprocher à ce candidat que son manque de surface.

—C'est énorme, dit l'abbé Marquiset, notoirement bonapartiste et mondain.

—D'un autre côté, dit l'abbé Vaublanc, nous voyons un homme considérable, universellement connu, honoré et apprécié, très riche...

—Surtout très riche, glissa l'abbé de la Gloire-Dieu.

—Ce qui n'est pas à dédaigner, remarqua l'abbé Roubley.

—Ce qui est une condition *sine qua non*, pour représenter un quartier comme le nôtre, renchérit l'abbé Marquiset.

—Le baron Grémoli est protestant, dit l'abbé de la Gloire-Dieu. La fortune n'a rien à voir dans la question qui nous occupe. Il nous faut un homme actif, dévoué, intelligent. A égalité de talent et de considération, je vote pour le candidat catholique.

—C'est aller bien vite en besogne, mon cher confrère, reprit l'abbé Roubley avec des caresses dans la voix. En quoi, s'il vous plaît, la nomination de M. de Mérigue augmenterait-elle notre influence dans le monde? Je le juge à sa valeur. C'est un brave garçon, tout à fait dans les bonnes idées, qui lutterait avec intrépidité pour tous les principes qui nous sont chers, qui même, je n'en doute pas, serait prêt, s'il le fallait, à donner son sang pour notre cause... Vous voyez, la Gloire-Dieu, que je vous fais la partie belle, mais, en bonne politique, voyez-vous, j'irais au baron Grémoli, qui nous sera d'autant plus reconnaissant qu'il n'appartient pas à notre sainte religion, et qui est en mesure, par sa situation, de nous rendre les plus grands services. De notre temps, hélas! l'Église a plus besoin de banquiers que de martyrs.

—La sagesse vient de parler par votre bouche, dit l'abbé Vaublanc en déposant sa pipe et en aspirant une prise de tabac. La religion n'est pas en cause. Je voterai pour le baron Grémoli.

—Je suis entièrement de cet avis, ajouta l'abbé Marquiset. La chose ne me paraît pas discutable. Mme Grémoli est très généreuse et nous donnera à pleines mains pour le soutien de nos oeuvres et l'entretien de nos églises.

—Je suis sincèrement désolé de me trouver seul de mon opinion, dit alors l'abbé de la Gloire-Dieu, après avoir bu un grand verre d'eau claire. Le baron de Grémoli est un très digne homme, je le veux bien, mais il est âgé, fatigué, à peu près indifférent, en pratique au moins, à toutes les questions si graves qui nous préoccupent. Il possède un hôtel à Genève et une villa à San-Remo. Vous ne le verrez jamais au Conseil municipal. Il me paraît singulier, en vérité, d'envoyer à une assemblée une personne qui n'y siégera point. Il me semble frivole, pour employer une expression parlementaire, lorsqu'on a un homme à sa disposition, de se faire représenter par une étiquette. Plus que jamais les dévoûments se font rares, plus que jamais il faut leur ouvrir nos bras. D'abord, soyez bien assurés que quelques billets de cent, pas même de mille... seront tout la bénéfice que vous retirerez de l'élection Grémoli. Mais je vais plus loin, mes chers confrères: le baron Grémoli devrait-il nous faire édifier des écoles, des hôpitaux et des temples, devrait-il alimenter puissamment toutes nos oeuvres de bienfaisance, que je vous dirais encore: Votons pour M. Jacques de Mérigue. Trop convaincu, a-t-on dit tout à l'heure. Cette parole m'a profondément affligé. Est-ce qu'on peut être trop convaincu de la vérité, de la nécessité d'agir? Les trouviez-vous aussi trop convaincus ceux qui, dans les temps anciens, mouraient pour leur foi?... Rappelez vos souvenirs historiques, messieurs; comment l'Église chrétienne est-elle arrivée à dominer le monde? et, pour renverser le raisonnement qu'on vous faisait tout à l'heure, répondez-moi la main sur le coeur, sur votre coeur de prêtres, les apôtres de Jésus-Christ étaient-ils des banquiers ou des martyrs? Il y eut un banquier. Il s'appelait Judas.

Un silence suivit cette loyale déclaration. Les trois ecclésiastiques auxquels elle s'adressait en comprenaient au fond la justesse incontestable; mais leur parti était pris, il jugeaient la question en gens d'affaires et en hommes du monde.

L'abbé Roubley serra la main de son éloquent contradicteur en le qualifiant de «Cher exalté», et l'abbé Vaublanc prononça les paroles suivantes avec toute sa lenteur digne et toute sa gravité vénérable:

—Messieurs et chers confrères, il est et demeure acquis, à la majorité de trois voix contre une sur quatre votants, que le candidat appuyé par le clergé aux élections municipales du quartier Saint-Barthélémy, est l'honorable baron Anastase Grémoli.

XIX

RÊVE ET RÉVEIL

Théodore de Vannes ne pouvait pardonner à Jacques la menace que son professeur lui avait faite de lui tirer les oreilles. Sournois autant que rancunier, il se garda bien de laisser paraître les sentiments hostiles qu'il nourrissait à l'égard du candidat royaliste, mais la veille de l'élection il prétexta une indisposition pour se dispenser d'aller au collège, et il passa toute sa journée à courir les maisons et les boutiques où il était connu, pour combattre la candidature Mérigue. Il estima avoir enlevé à Jacques une soixantaine de voix; il réussit en réalité à détacher de lui une vingtaine de partisans auxquels il fit accroire que Jacques était un républicain déguisé. Ces transfuges étaient de tout petits commerçants voisins de l'hôtel Soubise et qui ne voulaient pas mécontenter le «jeune monsieur de la maison».

Le quartier Saint-Barthélémy se passionnait beaucoup pour cette joûte politique. On en parlait dans les cercles, dans les salons, dans les rues. On s'abordait en se demandant des pronostics. Mériguistes et Grémolistes avaient des disputes et des altercations. On parlait des deux candidats comme on fait des chevaux de course. On discutait leurs chances comme s'ils se fussent appelés Frontin ou Little Duck.

Au premier instant de sa mise en avant si brusquement improvisée, on donnait Grémoli à dix contre un et on payait pour avoir Mérigue. Le lendemain matin le riche baron descendait à deux; au coup de midi, il était à égalité. On le payait trois à six heures du soir, tandis que Mérigue s'élevait rapidement dans la série des cotes fantastiques.

Enfin, le grand jour arriva. C'était à double titre que Mérigue donnait cet adjectif au dimanche désigné pour la bataille des urnes. Il avait pris en effet une grande résolution. Invité à dîner le soir même à l'hôtel Soubise, il avait décidé qu'il n'attendrait pas l'heure du repas pour s'y présenter et se ferait annoncer à quatre heures à la porte du grand salon blanc et or. Il savait que la comtesse douairière sortait de trois à six et comptait se trouver en tête à tête comme par hasard avec Mlle de Vannes, qui profitait de l'absence de sa mère pour lire des romans. Il voulait en finir une fois pour toutes avec sa position d'amoureux inavoué, faire connaître ses sentiments à la jeune Muse et, dans le cas d'un accueil favorable qu'il espérait, mettre Blanche en demeure de se prononcer entre lui et le duc de Largeay. Toute la matinée Jacques parcourut les sections de vote, pâle, agité, fiévreux, donnant au hasard des encouragements vagues et des poignées de main inconscientes.

Son esprit était si peu avec son corps qu'il vota pour son concurrent impérialiste et donna une fraternelle accolade au candidat républicain.

La véritable urne était pour lui à l'hôtel de Soubise; il n'avait qu'un électeur, et les femmes, en ce qui le préoccupait, n'étaient point exclues du droit de vote.

A quatre heures sonnantes, Jacques de Mérigue, en tenue de ville, montait le grand escalier de l'aristocratique maison, tremblant, chancelant, sentant l'impérieuse nécessité de s'appuyer sur la rampe.

Le valet de service lui dit: «Monsieur, Mme la comtesse est sortie, mais Mlle de Vannes m'a chargée de la prévenir toutes les fois que monsieur se présenterait.» Jacques eut un coup de sang qui lui congestionna toute la tête et, en entrant dans le salon, il crut voir tous les meubles exécuter une sarabande fantastique. La pièce était vide.

Il ne voulut point s'asseoir et s'accouda à la cheminée pour ne pas tomber. Il n'y avait pas deux minutes qu'il se livrait au flux et au reflux violents de ses pensées folles et de ses impressions vertigineuses, que la quatrième Grâce entrait leste, vive, pimpante, et le saluait d'un petit mouvement de tête en lui tendant la main et en lui disant: «Vous êtes pas trop en retard aujourd'hui, monsieur Jacques.»

L'emploi de ce prénom parut de bon augure au poète.

—Vous avez probablement voulu me continuer notre conférence sur Hugo (Victor) sans crainte d'être dérangé par le duc. C'est bien aimable à vous, monsieur, et recevez tous mes remerciements pour votre gracieuse attention. J'ai deux heures à vous donner et je suis à vos ordres.

—Mademoiselle, répondit Jacques avec des essoufflements dans la voix, vous avez bien voulu l'autre jour à la cérémonie de Saint-Roch me demander à quoi je pensais pendant cette mélodie sublime qui nous a charmés tous les deux.

—Et vous n'avez pas voulu me répondre.

—Je ne le pouvais guère en ce moment-là, mademoiselle, mais aujourd'hui... je suis prêt à vous satisfaire.

—Je vous écoute le plus volontiers du monde, monsieur de Mérigue. Votre paraphrase du *Satyre* était ravissante.

—Il ne s'agit point de littérature, mademoiselle, interrompit Mérigue fiévreusement.

—Dites tout ce que vous voudrez, monsieur. Je suis certaine que vous m'intéresserez.

—Mademoiselle... vous me trouverez peut-être bien audacieux, mais mon ambition est plus grande. Elle va... jusqu'au... désir de vous plaire.

Blanche partit d'un grand éclat de rire bon enfant.

—Mais c'est déjà fait, monsieur. J'aime beaucoup votre conversation — quand vous daignez parler. — Vos opinions littéraires, vos sentiments politiques, votre caractère chevaleresque... enfin, vous me convenez tout à fait, et je veux demander aujourd'hui même à ma mère de prendre trois leçons de littérature par semaine avec vous. Vous me donnerez des devoirs... que vous corrigerez. Vous serez très sévère, vous m'apprendrez à écrire.

Jacques était navré de voir l'entretien dévier sans cesse des sujets intimes vers les questions d'art. Il dit soudain, presque brusquement:

—Mademoiselle, j'ai une confidence à vous faire. M'en accordez-vous la permission?

—Certainement, reprit Blanche sans quitter sa mine enjouée. Vous pouvez compter sur ma discrétion.

—Hélas! mademoiselle, reprit Jacques en baissant la tête et presque à voix basse, ce n'est point de votre discrétion que j'ai besoin, c'est de votre indulgence.

—Mon indulgence...

—De votre miséricorde.

—Je ne comprends plus du tout... Allez.

—Mademoiselle, la première fois que je vous ai vue à Sainte-Radegonde, j'ai reçu une de ces commotions que l'on n'éprouve qu'une fois dans sa vie. Mes regards vous ont traduit peut-être les sentiments impérieux qui subjuguaient mon âme, et je ne pouvais avoir aucune espérance de vous voir, de vous approcher.

—Je me souviens, monsieur, dit Blanche devenue sérieuse.

—Et voici qu'un hasard divin ou plutôt une loi d'attraction mystérieuse a permis que mon rêve devînt une réalité. J'ai été reçu chez vous avec la plus grande distinction. On m'y a traité comme un... ami.

—Vous le méritez, monsieur, interrompit Blanche toujours grave.

—Alors, mademoiselle, une idée folle, insensée, absurde, a germé dans mon esprit, je me trompe, hélas! dans les replis les plus intimes et les plus profonds de mon coeur... Oh! ne m'en veuillez pas, je vous en conjure, de vous faire cet aveu, mademoiselle. Rappelez-vous ce poème que vous trouvez si beau... Vous êtes la Reine, je suis Ruy-Blas. J'ai osé... vous aimer.

Blanche sourit imperceptiblement et tendit la main à Jacques en lui disant:

—Cher monsieur... J'accepte de tout coeur votre amitié... elle me sera précieuse. Seulement, je vous recommande bien de ne pas risquer votre vie pour m'apporter des fleurs.

—Je donnerais tout mon sang pour vous, répondit Jacques impétueusement... mais... de grâce... comprenez-moi. Ce n'est point de l'amitié que je vous apporte. Quand mon âme se donne, elle se livre tout entière. Encore une fois, pardonnez-moi... Mais je ne pense plus retenir un mot qui me brûle. Mademoiselle Blanche, je vous aime... d'amour?

—Je vous aime beaucoup, monsieur, répondit Blanche avec un tremblement.

—Oh! je voudrais vous baiser les mains, mademoiselle, mais, de grâce, encore un mot.

—Je vous écoute, monsieur Jacques.

—Vous me faites l'insigne faveur de me dire: Je vous aime beaucoup... Je vous assure que je préférerais: Je vous aime un tout petit peu... Dites-le-moi, mademoiselle Blanche.

—Je mentirais, monsieur Jacques. Mon amitié pour vous...

—Ah! l'amitié, maintenant.

—N'est point du tout ordinaire ni banale.

—L'amitié, toujours l'amitié.

—Que voulez-vous de moi, monsieur Jacques?

—Vous me permettez de vous le dire?

—Je vous le permets.

—Votre amour.

—Vous l'avez, affirma Blanche nerveusement.

—Oh! que dites-vous, mademoiselle?

—Depuis trois jours.

—Oh! donnez-moi votre main et prenez ma vie.

Blanche tendit sa main que Jacques baisa respectueusement. Puis il souffla ces deux mots à voix basse: Merci, mademoiselle Blanche... Merci... Blanche.

Mlle de Vannes eut un léger sourire en disant:

—Pauvre monsieur Jacques... Pauvre Jacques.

Les deux acteurs de cette scène étrange demeurèrent quelques minutes sans parler, puis Jacques dit à Blanche:

—C'est aujourd'hui le plus beau jour de ma vie, mais toutes les roses ont leurs épines.

—Je n'ai pas l'honneur d'être une rose, reprit Blanche, mais j'ai l'avantage de n'avoir point d'épines.

—Êtes-vous charmante—d'esprit et de coeur.

—Bon, voilà le madrigal qui revient.

—Oh! je me soucie bien de ces sottises. Je pense à tous les obstacles qui peuvent nous séparer.

—Quels obstacles? J'avoue ne point en voir.

—Et le duc de Largeay?

Blanche éclata de rire.

—Le duc de Largeay, répéta-t-elle. Ce n'est que mon futur mari.

Jacques devint livide.

—Pardon, mademoiselle, je suis un peu troublé... C'est peut-être ce qui m'empêche de comprendre très bien... Vous me dites que vous épouserez le duc de Largeay?

—Certainement, d'ici deux ou trois mois... Je ne suis pas très pressée, vous savez.

—Mais alors, mademoiselle, j'ai rêvé... Ne m'avez-vous pas dit... que vous m'aimiez.

—Eh bien!... sans doute.

—Et le duc, alors?... Vous ne l'aimez pas?

—Oh! si peu.

—Et vous allez devenir sa femme?

—Mais... mon cher monsieur Jacques, vous, poète, littérateur... Vous qui savez tout... qui comptez vingt-cinq ans d'âge, vous n'avez dont jamais lu un roman?

—J'en ai beaucoup lu, mademoiselle, mais j'y ai toujours cherché des délassements pour mon esprit et jamais des règles pour ma vie.

—Est-ce un reproche?

—A Dieu ne plaise, mademoiselle. C'est une simple réflexion... mais je vois que je devrai taire la seconde partie de ma confidence.

—Comment? elle n'est pas finie?

—Non, mademoiselle.

—Eh bien! je vous l'ai dit tout à l'heure, je suis libre jusqu'à six heures du soir, et toujours charmée de vous entendre.

—Je ne sais comment vous accueillerez ce qui me reste à vous dire, mais si cela était de nature à vous déplaire, je vous supplie par avance de bien vouloir me pardonner.

—C'est entendu.

—J'étais venu pour deux choses, mademoiselle. D'abord pour vous dire que je vous aimais.

—C'est fait.

—Ensuite...

—Ensuite, monsieur?

—Pour vous demander votre main.

Blanche de Vannes se dressa comme soulevée par un ressort.

Son visage prit subitement une expression d'indignation et de colère.

Elle leva orgueilleusement sa jolie tête patricienne et jeta à Mérigue cette réponse foudroyante:

—Monsieur de Mérigue, je ne sais à quoi il tient que je ne sonne et que je ne vous fasse reconduire!

—Mademoiselle...

—Vous m'insultez, monsieur.

—Mon amour est une insulte?

—Ce n'est pas cela... Vous ne comprenez rien... c'est la demande que vous avez osé formuler tout à l'heure que je considère comme une injure sanglante, et je n'ai personne pour me venger.

—Vous avez le duc de Largeay, mademoiselle. Chargez-le de me tuer... Et je crois maintenant qu'il ne me reste plus qu'à vous présenter mes plus humbles hommages.

—Vous m'évitez la peine de vous le dire, monsieur.

Mérigue se leva.

—Pardon, monsieur, dit Blanche au moment où il ouvrait la porte, ma mère vous attend ce soir à dîner. Votre absence pourrait donner lieu à des commentaires. Je vous serai reconnaissante de vous trouver ici à sept heures et demie.

—Soyez tranquille, mademoiselle, j'ai encore assez d'éducation pour ne point commettre de grossièretés.

—Ah! monsieur, répondit Blanche, on peut s'attendre à tout avec des gens de vos espèces.

Mérigue sortit en s'inclinant profondément. Blanche saisit un chiffon de papier et y griffonna au crayon cette simple ligne:

«Je vous prie de donner un coup d'épée à M. de Mérigue.

«BLANCHE».

Elle cacheta le pli, sonna et dit au laquais qui se présenta:

—Portez sur le champ cette lettre à M. le duc de Largeay!

XX

CORRECT

Le duc de Largeay fut vivement contrarié à la réception de la missive de sa fiancée. Toute velléité belliqueuse à l'égard de Mérigue s'était évanouie chez lui du moment où il avait appris que le candidat royaliste fréquentait depuis dix ans les salles d'armes. Pourtant il n'y avait pas moyen de reculer ni de tergiverser. L'ordre était impératif et catégorique. Impossible de laisser apparaître la moindre hésitation avec une personne du caractère de Blanche. Ce n'est pas que le jeune duc brûlât d'amour pour sa fiancée, mais le million de dot exerçait sur ce clubman légèrement décavé une fascination qui pouvait lui donner à la rigueur l'apparence d'un amoureux très suffisamment transi. Il se dirigea donc vers la rue des Saints-Pères non sans une certaine émotion d'un genre fort désagréable. Il n'eut point la peine de monter de nouveau les cent vingt marches du candidat. Jacques, depuis qu'il avait quitté l'hôtel Soubise, errait dans les rues avoisinantes, les bras ballants, les yeux vagues, trop écrasé, trop anéanti pour ressentir déjà la douleur de sa blessure.

A l'angle du boulevard et de la rue Saint-Dominique, le duc aperçut son rival. Il prit son courage à deux mains, s'approcha de Jacques et lui donna un léger coup de canne sur l'épaule comme pour le faire retourner.

— Plait-il, monsieur? dit Mérigue d'une voix altérée.

— Ôtez-vous de mon chemin? dit le duc d'un ton nerveux et saccadé qui dissimulait assez mal l'exiguïté de sa vaillance.

— Encore vous, duc. En quoi puis-je?...

— Je viens de vous le dire.

— Je n'ai pas bien entendu.

— Vous avez pourtant des oreilles.

— Désirez-vous que j'allonge les vôtres?...

—Vous m'insultez, monsieur. Vous m'en rendrez raison!

—Comme il vous plaira.

—Voici ma carte.

—Bien honoré, voici la mienne.

—Impertinent!...

—Pardon, monsieur, vous êtes trop homme du monde pour ne pas vous rappeler qu'une fois leurs cartes échangées deux gentlemen ne doivent plus ajouter un mot sur le différend qui les divise; la parole, dès lors, est aux témoins et aux épées.

—C'est juste, monsieur le professeur. Alors vous y tenez absolument... à l'épée?...

—Mes témoins, monsieur le duc, auront l'honneur de vous donner ce renseignement.

—Bien obligé, monsieur le professeur.

—Je vous salue, monsieur le duc.

Et Largeay rebroussa chemin pour rentrer à son hôtel tandis que Jacques disait à haute voix d'un air de contentement un peu féroce: «Eh bien! oui; tu arrives encore comme Mars en Carême, et ta paillasse court certains risques.»

Blanche de Vannes, après avoir décrété la mort de son trop audacieux admirateur, s'était retirée dans sa chambre et jetée vivement sur son lit. Du premier jour où elle avait vu Mérigue, elle avait éprouvé pour ce passant étrange un de ces sentiments de curiosité féminine qui arrivent promptement aux frontières de la sympathie. La candidature du jeune Limousin et tout le bruit que la presse avait fait autour de lui n'étaient point pour affaiblir cette inclination chez une jeune fille d'un caractère impétueux et romanesque, surveillée uniquement par une mère... qui brodait, et habituée à n'avoir d'autres lois que ses caprices. C'était elle qui avait en réalité ouvert à Jacques la porte de l'hôtel Soubise, et l'attraction qu'il exerçait sur elle s'était dès le premier jour transformée en vrai «béguin». Le salut de Saint-Roch et la paraphrase du *Satyre* avaient accentué ce penchant d'une façon brusque et violente; la jeune lionne de la rue Saint-Dominique avait trouvé son dompteur. Aussi la déclaration de Jacques, qui eût pu sembler prématurée, s'était-elle trouvée accueillie par un coeur battant à l'unisson du sien. Mais Mlle de Vannes s'imaginait, avec une certaine candeur d'enfant gâtée et possédant un sens moral un peu vague, qu'elle pourrait très bien avoir Mérigue pour ami et M. de Largeay pour mari. D'autant mieux qu'en dépit de ses lectures, elle ne se rendait pas un compte bien exact de toutes les conséquences de ce jeu de coeur en partie double. La découverte subite des prétentions étranges de Jacques avait fait bondir en elle cet orgueil de la race, souvent plus incrusté chez certaines femmes que l'amour de la vertu.

«Il n'a pas de front, ce monsieur, ce Limousin, ce professeur qui a de l'encre au bout des doigts... ça lui apprendra... il ne sera pas tué certainement... Un coup d'épée à la mode du jour... au bras, à la main... ça lui servira de leçon... de correction. Moi, fiancée à un duc!... et puis quelle ingratitude!... M'adresser cet outrage au moment où je lui avoue, où je lui accorde... Oh! il mériterait d'être tué... il serait plus respectueux une autre fois. Il en réchappera; deux ou trois semaines au lit... comme c'est la coutume des gladiateurs du Jockey... puis... il reviendra... me demander pardon... et ma foi!... pourquoi ne pas le recevoir en grâce... Il est très gentil au fond... beau garçon!... Quelle différence avec le duc. Grand, bien découplé, des yeux rayonnants... parlant comme un membre de l'Académie... intelligent jusqu'au bout des ongles... spirituel... drôle... énergique... mais très insolent par exemple!... Il a besoin d'être rappelé à l'ordre...

Comme il doit bien embrasser... que ses lèvres doivent être chaudes et vibrantes... quand je pense au petit morceau de glace que le duc m'applique de temps à autre au bout des doigts... Oh! il ne faut pas du tout qu'il me le tue... Non. Non! ce serait dépasser le but... ni même qu'il lui fasse une blessure trop profonde... oh!... il me semble... que je souffrirais de sa douleur! et que j'aurais envie de me faire... soeur de charité pour le soigner. Mon cher duc, je vous défends bien de lui faire du mal... Est-il fou de Largeay de vouloir blesser mon ami... Ah! par exemple; s'il me fait ce coup-là je ne le revois de ma vie. Espèce de jaloux, va! Est-ce que je n'ai pas le droit d'avoir des amis?... Comment supporterai-je la compagnie de ce dadais si j'y étais réduite exclusivement? ah! je le déteste! Qu'il ne s'avise pas seulement de lui faire tomber un cheveu de la tête!»

Blanche en était arrivée à cette période de ses réflexions quand une femme de chambre frappa à la porte, entra sans attendre de réponse et lui remit une lettre qu'un exprès venait d'apporter. Elle lut:

«Bien chère amie,

«Vos ordres sont exécutés, j'ai bâtonné le drôle! Demain à la première heure échange de témoins. A midi, tout sera terminé suivant vos désirs.

«Votre petit duc vous baise les mains.

«L.»

—Stupide assassin! s'écria Blanche. Le commissionnaire est-il parti?... Faites courir après... Ramenez-le. Dépêchez-vous donc, petite sotte. Et tandis que la servante effarée obéissait, Mlle de Vannes écrivait d'une main fébrile au dos d'une carte de la comtesse douairière:

«Jamais de la vie. D'abord vous ne l'avez pas bâtonné. Vous n'existeriez plus à cette heure. En tout cas, il dîne ce soir ici. Vous viendrez à neuf heures lui faire des excuses devant moi... dans un coin du salon. Sinon tout est fini entre nous. C'est bien compris.

«Blanche.»

Le duc était occupé à sa toilette intime quand il reçut cette nouvelle épître:

—Des excuses publiques à présent! A ça! mais elle est en train de me faire payer son petit million... aussi quelle bêtise de m'être vanté! je ne l'ai pas bâtonné du tout... oh! quelle histoire. Ce Mérigue va me prendre pour un fantoche... et il n'aura pas tout à fait tort!... oh! la petite vipère. Si tu n'avais point ton million. C'est horrible!... Il faut bien obéir.

A sept heures et demie très précises, Jacques, qui avait pour quelques heures dominé, comprimé et mâté les angoisses de son âme, pénétrait avec aisance et grâce dans le grand salon de l'hôtel Soubise. Il commençait à dépouiller très bien son écorce limousine et à saluer les grandes dames à peu près comme il convient. Blanche lui tendit la main comme à l'ordinaire et éprouva un certain frémissement en rencontrant celle du jeune homme, froide comme un gantelet de fer. Mérigue parla beaucoup, avec une tenue impassible, et maintint constamment la conversation sur les élections dont le résultat allait être connu au plus tard dans une heure. Théodore sortit au dessert pour aller prendre des nouvelles, espérant bien au fond du coeur apporter à son maître l'annonce d'un échec. Il rentra au bout d'un quart d'heure et trouva les autres convives déjà assis au salon et en train de prendre le café. Il tenait à la main un fragment d'affiche où il avait gribouillé les résultats du vote au moment même de sa proclamation. Il pouvait à peine prononcer une parole tant il avait couru. Il lut enfin de sa grosse voix:

—Électeurs inscrits 3.200.

Et il s'arrêta pour souffler.

—Électeurs ayant pris part au vote 2.500;
Majorité absolue des suffrages exprimés 1.251;
Le général Paulus Géraudel, républicain, 958;
Le baron Grémoli, bonapartiste, 772.
M. Jacques de Mérigue, monarchiste, 730.

Résultat: ballottage en faveur de M. le baron Grémoli.

Quand il eut achevé Théodore jeta à son maître un regard venimeux mal dissimulé sous une apparence de désappointement: «quarante-deux voix de moins, pensait-il, à cause de moi! Ça lui apprendra.» Mérigue se leva et dit à la comtesse:

—Je vais être obligé, madame, de me retirer plus tôt que je ne l'aurais désiré, car mon devoir de conservateur discipliné est de me désister immédiatement en faveur de M. Grémoli. Mes affiches doivent être apposées demain matin...

—C'est un très petit malheur, dit Blanche, un homme intelligent comme vous n'a point à regretter cet échec. Ce sont les réactionnaires du quartier qui sont le plus à plaindre. Je vous prie de bien vouloir demeurer encore quelques minutes.

Et elle poursuivit en baissant la voix:

—Quelqu'un va venir ici vous demander pardon.

La comtesse douairière soupira:

—Comme je suis vraiment désolée de ce contretemps, cher monsieur.

Et ses yeux un instant soulevés de son noble ouvrage y retombèrent automatiquement. Le duc de Largeay entra. Il se mordit violemment les lèvres, salua sommairement sa future belle-mère, et fit à Blanche une sorte de grimace à laquelle il s'efforça de donner l'aspect d'un sourire.

Puis résolument, brusquement, il dit à Mérigue en lui tendant la main:

—Tantôt, monsieur, j'ai eu tous les torts, dans le fond et dans la forme, veuillez recevoir mes excuses.

Le candidat vaincu hésita une seconde, fronça le sourcil, puis se laissa prendre la main avec un léger mouvement d'épaules en répondant au duc:

—Soit, monsieur.

—C'eût été vraiment trop bête, ajouta Largeay en minaudant.

—J'aurais mauvaise grâce à vous contredire, reprit Jacques.

XXI

DÉSOLÉS ET CONSOLÉS

Le lendemain matin l'affiche suivante était placardée à profusion dans tout le quartier Saint-Barthélémy.

«ÉLECTEURS ROYALISTES,

«Nous devons tous nous coaliser contre l'ennemi commun, le candidat républicain qui réunit à lui seul un millier de voix. Je vous demande et au besoin je vous prie de vouloir bien au scrutin de dimanche prochain reporter l'unanimité de vos suffrages sur M. le baron Grémoli. Je serai le premier à vous donner l'exemple.

«JACQUES DE MERIGUE.»

Jacques fit une visite à son heureux concurrent qui le reçut avec beaucoup d'urbanité et de distinction et lui offrit même un impérial cigare. Puis il trouva dans son casier un monceau de cartes émaillées de réflexions diverses. Les unes exhalaient des condoléances pures et simples. D'autres félicitaient le jeune homme de sa *patriotique abnégation* et lui pronostiquaient une revanche éclatante. Quelques-unes le blâmaient d'avoir abandonné la partie et d'avoir tendu la main «aux meurtriers du duc d'Enghien». La plus curieuse émanait du vicomte d'Escal; elle était ainsi conçue:

«Mon cher ami,

«Je ne saurais approuver votre détermination. Moi qui ai lutté toute ma vie (??!!) je ne puis concevoir un soldat capitulant. Pour vous témoigner mon mécontentement; je refuse de solder les frais de votre affiche de désistement. Ne voyez dans cette résolution qu'une protestation de ma part, non contre votre sympathique personnalité, mais contre une politique néfaste qui nous perd depuis cinquante ans et nous perdra jusqu'à la fin des siècles.»

Le baron Grémoli rendit sa visite à Jacques. La montée des cent vingt marches, sans ascenseur, et l'aspect délabré du logement situé à la cime plongèrent l'opulent financier dans une profonde stupeur.

—Comment, se disait-il, je ne l'ai battu que de quarante voix!

Mérigue eut aussi la visite de Sermèze qui lui fut plus agréable. Il lui raconta tous les événements de la veille et le jeune baron lui dit encore: «Pauvre Jacques!» Lorsque la nuit fut close il écrivit à son vieux père:

«Mon cher papa,

«Je tombe des astres comme feu Phaéton. Ni femme, ni siège au Pavillon de Flore. Ne te désole pas trop. Je vous embrasse tous comme je vous aime.

«Votre pauvre JACQUES, comme devant.»

A la réception de ce pli tout à fait inattendu, bien des larmes coulèrent au noble repaire de Mérigue. La pieuse Caroline se consola en s'en rapportant à la volonté de Dieu, et le chef de famille en traçant au galop ces quelques lignes:

«Cher fils,

«*Quem si non tenuit, magnis tamen excidit ausis.*

«Les Titans aussi échouèrent dans l'assaut qu'ils voulurent livrer à l'Olympe, ce qui ne les empêcha pas de demeurer des Titans. Ton père toujours fier de toi.

«JOSEPH, COMTE DE MERIGUE.»

Le Comité royaliste du quartier Saint-Barthélémy ne mêla point ses lamentations aux tristesses de la pauvre famille. Ces messieurs si calmes et si paisibles allaient retrouver, après trois semaines d'agitation, leur bonne tranquillité d'autrefois. Et puis en définitive (considération qui avait bien son prix), c'était un jeune presque au moment d'arriver, et qui restait en chemin d'une façon inespérée.

XXII

LA RÉCOMPENSE DU PETIT DUC

—Ma chère Blanche, vous m'avez fait jouer hier au soir un rôle passablement... drôle, et en tout cas peu glorieux.

—Que voulez-vous, mon cher, il faut me prendre telle que je suis. J'ai eu un moment d'irritation contre cet homme.

—Pourrais-je en connaître le motif?

—Cela ne vous intéresserait pas du tout.

—Cependant, ma chère...

—N'insistez pas, je continue ma phrase... et au fond j'ai un faible pour ce Limousin-là!

—C'est votre fort d'avoir des faibles.

—Tiens! son contact vous a rendu spirituel!

—Toujours aimable à ravir, mais... à propos, trouvez-vous que je vous ai bien obéi?

—Assez convenablement.

—Me suis-je bien démenti, rétracté, aplati, devant ce monsieur?

—Pas mal.

—Savez-vous qu'il me prendra pour un fou, pour le dernier des nigauds?

—Pas pour un fou.

—Comment allez-vous me récompenser de ma docilité?

—Que pouvez-vous bien désirer?

—Un prompt acquiescement à mes voeux.

—Vous parlez comme Florian. On dirait que vous l'avez lu, c'est invraisemblable.

—Florian?... connais pas!

—Je m'en doutais... Parlez donc notre langue.

—Je voudrais que la fixation de notre mariage...

—Ah!... la fixation. Quel charabias.

—Enfin, vous saisissez très bien ma pensée.

—Je veux vous forcer à l'exprimer clairement, en bon français du XIXe siècle.

—Eh bien! je voudrais que nous nous mariassions...

—Ah! mariassions!... Vous n'avez donc jamais lu Sainte-Beuve?

—Quelle sainte dites-vous?

—Oh! vous ne la trouverez pas dans le martyrologe celle-là. Êtes-vous bachelier, cher duc?

—Mais, chère amie, je laisse ce titre aux professeurs, comme M. de Mérigue.

—Vous raillez. Êtes-vous prévôt d'armes?

—Vous jouez de moi, ma chère Blanche, comme un enfant de ses toupies.

—Vous avez, du moins, assez bon caractère, aussi ne veux-je point aujourd'hui vous tenir trop longtemps rigueur. Il faut bien aussi, pour être équitable, que je vous donne le prix de toutes vos soumissions récentes.

—Oh! comme ces paroles viennent agréablement sonner à mes oreilles.

—Tiens! voilà que vous devenez poète pour avoir failli vous battre avec un enfant du Parnasse.

— Alors, je puis espérer...

— Parfaitement... Vous pouvez faire publier nos bans.

— Et fixer la cérémonie nuptiale?

— Oh! toujours votre fatras... A quinzaine, si vous voulez.

— Vous me comblez de joie. Telle est aussi la manière de voir de la comtesse?

— Oh! soyez tranquille!... Laissez-la broder.

Quinze jours plus tard, l'église Sainte-Radegonde contenait vers l'heure de midi, tout ce que les quatre quartiers aristocratiques renfermaient de messieurs beaux ou laids, de femmes jolies ou peu agréables. Toutes les lumières du maître-autel resplendissaient et éclairaient le fin visage de l'abbé Roubley, qui allait bénir l'union de M. le duc de Largeay et de Mlle Blanche de Vannes. Les deux jeunes gens s'étaient agenouillés l'un auprès de l'autre dans la partie la plus avancée du choeur, sur des prie-Dieu en velours rouge.

Largeay, sec, raide, compassé, peigné comme une gravure de mode, avec un léger tic nerveux dans l'oeil gauche, annonçait par toute son attitude le contentement qu'il éprouvait d'avoir atteint son but et la hâte qu'il ressentait d'en avoir fini avec les pompes officielles. Blanche, profondément sérieuse et grave, contrairement à ses allures ordinaires, semblait presque une victime enguirlandée pour le sacrifice. Elle avait aperçu à dix pas d'elle, dans un bas-côté, la figure sévère et la haute stature de Mérigue. Une comparaison inconsciente s'était établie dans son esprit, et son fiancé paraissait se rapetisser au niveau des bancs, tandis que son ancien admirateur grandissait jusqu'aux clefs des voûtes. Les grandes orgues exhalaient leurs plus douces mélodies, auxquelles la jeune fille trouvait des consonnances funèbres, songeant peut-être aux chants sacrés de la Sainte-Chapelle, dont elle avait savouré l'harmonie à côté de l'homme qui envahissait de plus en plus ses pensées et ses souvenirs. Depuis quinze jours, elle n'avait point aperçu Mérigue, et elle cherchait dans son imagination surexcitée mille moyens de le revoir. Elle avait eu soin de lui faire envoyer un billet d'invitation à la messe de mariage, en désespoir de cause, et ne pensait point qu'il répondît à cette avance. Puis, tout à coup, elle le découvrait auprès d'elle, pensif et hautain parmi la foule.

Le curé célébrant s'avança vers les futurs époux, et en sa qualité d'habile homme sachant le prix des courtes harangues, dit simplement à voix très basse:

«Mademoiselle, Monsieur le duc,

«Votre dévoué pasteur éprouve en ce moment une émotion trop grande pour vous adresser un long discours, et pour célébrer comme il faudrait les louanges de vos illustres familles qui ont donné tant de héros à la France et tant d'élus au ciel. Vous marcherez tous les deux sur les nobles traces de vos ancêtres, vous, mademoiselle, par votre piété, votre charité, votre fidélité à tous vos devoirs d'épouse et de mère, vous, monsieur le duc, par votre courage, votre grandeur d'âme, votre dévouement sans bornes aux principes de probité et d'honneur qu'ont aimés et servis vos aïeux. Vous continuerez une lignée glorieuse, et en tous temps comme en tous lieux, vous servirez d'exemples et d'impeccables modèles à l'immense foule des déshérités, qui tiennent leurs yeux fixés sur vous, comme toutes les misères d'en bas regardent toutes les splendeurs d'en haut.»

Après cette homélie un peu flatteuse, l'abbé Roubley procéda à la bénédiction nuptiale et se dirigea vers l'autel.

—Avez-vous entendu ce qu'il a dit? demanda la jeune duchesse à son seigneur et maître.

—Ma foi, j'allais vous faire la même question, répondit Largeay.

Dès lors, Blanche tomba sous le joug d'une obsédante pensée. Mérigue allait venir à la sacristie s'incliner devant elle et la foudroyer de son regard accusateur. Après bien des réflexions et bien des transes, elle résolut de se dérober à tous les hommages et de s'éloigner aussitôt après la cérémonie, sous un prétexte quelconque de fatigue ou d'émotion.

Cependant, au sein de l'église, la conversation était générale, quoique chuchotée à voix très basse et d'une façon tout à fait convenable.

Côté des dames: L'abbé a été fort bien, aujourd'hui.

—Toujours un peu bénisseur, ma chère.

—On ne vient pas ici pour se faire dire des sottises.

—Oui, mais cette évocation des grandes vertus est ironique, à force d'être peu en situation.

—Le duc n'est pas bien fort... c'est vrai!... mais il mène un cotillon, ma chère... il patine!... il a un tailleur!... Toutes ses culottes viennent d'Angleterre.

—La petite est pas mal délurée.

—Oh! simplement un peu originale... mais... si riche, un million de dot... et puis, voyez donc cette forêt de cheveux noirs... l'inflexion gracieuse de la taille... Elle fait faire ses corsets chez Mmes de Vertus.

—Oh! qu'elle doit mal supporter leurs étreintes... vous me donnez absolument raison, ma chère. Le bon curé, au lieu de faire intervenir la sainteté et l'héroïsme dans son petit prône, aurait dû nous parler des bals, des clubs, des *five o'clock*, des premiers coiffeurs, des couturières à la mode.

—Il y pensait, ma chère.

—J'incline à le croire.

—Je constate donc avec plaisir que nous sommes du même avis.

Côté des hommes: Très joliment tourné, le discours.

—Qu'a-t-il donc raconté déjà?

—Je ne me rappelle plus bien, mais c'était tout à fait délicat et puis si bien approprié.

—Qu'est-ce que Largeay va faire de la petite Zoé?

—Peuh! ce qu'il en a fait jusqu'ici.

—Pas possible? il va lui continuer sa pension de cent louis par mois?

—Nullement. Il va l'augmenter, puisque le voilà devenu plus riche. Il lui a même fait un cadeau de noces ultra pschutteux.

—Vous êtes sûr de cela?

—Très sûr. Un poney de trois cents louis... qu'il n'a même pas payé.

—Qu'il paiera un de ces jours avec l'argent de sa femme.

Tel était le genre dominant des prières adressées au Seigneur par l'opulente assistance.

Blanche était toujours absorbée dans ses impressions. Quant au jeune duc, il dormait.

On se leva à l'Évangile, on s'assit à l'Offertoire, on s'inclina à l'Élévation, on se prépara au départ après la bénédiction du prêtre.

—Mon ami, dit vivement Blanche à l'oreille de son époux, je me sens un peu fatiguée. Voulez-vous me ramener à l'hôtel de Largeay?

Le duc s'empressa d'arrondir son bras et le couple entra à la sacristie. Alors Blanche et Largeay prièrent leurs parents respectifs de vouloir bien recevoir en leur lieu et place les hommages du faubourg assemblé. Puis ils sortirent par une porte dérobée et s'élancèrent dans leur coupé.

Quelques minutes après, ils se trouvaient dans le boudoir rose aménagé pour Blanche à l'hôtel de Largeay.

La jeune duchesse dit à son époux: «Voici le programme de la soirée: Dîner au Café de Paris, coucher à l'Hôtel de Bade.» Le duc s'inclina. «Maintenant, veuillez me laisser seule pendant quelques moments.» Le duc sortit.

En quittant Sainte-Radegonde, Jacques de Mérigue avait pris le boulevard, le pont de la Concorde et les Champs-Élysées. Il était poussé vers le grand air par toutes les aspirations de son coeur broyé et de son âme étouffée. Depuis son double échec, il était retombé dans l'oubli, à peine traversé de temps à autre par quelque lettre de condoléance banale et quelques visites d'ouvriers sans travail. Sa blessure double saignait jour et nuit, la plaie de l'orgueil et la meurtrissure de l'amour.

Et c'était Blanche qui les lui avait infligées toutes les deux, en lui jetant à la face un outrage que rien ne saurait effacer. Il comprenait vaguement que tout sentiment pour lui n'était pas éteint au coeur de la jeune femme, mais il jugeait inexorablement qu'après l'affront reçu par lui, tout devait être fini entre eux et pour jamais. Et son coeur, embrasé d'amour, livrait un furieux combat à sa fierté robuste qui demeurait victorieuse, à la condition de lutter sans repos. Il s'était rendu à la cérémonie machinalement, sans but précis, peut-être pour bien voir de ses yeux l'irrévocable immolation de son rêve, et maintenant il marchait droit devant lui, à lourdes enjambées, comme parmi les grands sables un voyageur perdu.

Arrivé à l'Arc-de-Triomphe, il prit l'avenue Wagram et les boulevards extérieurs. Il descendit jusqu'à la Bastille et traversa le pont Henri IV. Il s'arrêta à une petite échoppe du quai de la Tournelle et dîna pour vingt-cinq sous, puis, appesanti par son repas, bien léger cependant, il se traîna péniblement vers la rue des Saint-Pères, avec la nuit qui tombait. Comme ses cent vingt marches lui parurent pénibles, harassantes, interminables. Comme il se sentait tiré en bas par la torpeur, la lassitude et le désespoir. Arrivé dans sa chambre, il ouvrit sa fenêtre et regarda le ciel; par cette brumeuse soirée de mars, les quelques étoiles visibles là-haut semblaient entraînées vers un gouffre noir parmi l'avalanche confuse des nuages.

Le duc et la duchesse de Largeay dînaient au Café de Paris. Leur conversation fut moins nourrie que leurs appétits et il fallut que le café succédât à deux bouteilles de vin capiteux, pour parvenir à délier leur langue.

—Pourquoi cette nuit à l'Hôtel de Bade? interrogea le duc en allumant son cigare.

—C'est drôle... c'est drôle! répondit Blanche d'un air rêveur... On n'y connaît personne... personne ne vous y connaît. On n'est qu'un numéro dans la cohue bruyante et banale. On est plus à même de passer ses fantaisies, car vous n'ignorez pas, mon cher duc, que vous avez épousé une fantaisiste... une capricieuse... qui aime bien sa petite indépendance...

—Je ne m'en plains aucunement, duchesse.

—Puissiez-vous être toujours aussi accommodant.

Il était dix heures quand le noble couple entra à l'hôtel et prit possession d'un petit appartement de trois pièces, retenu par dépêche pendant la journée. La première pièce était une antichambre où l'on déposa les manteaux. Puis venait un salon où brillait un feu clair. En arrière, la chambre à coucher. Largeay, qui grelottait, s'approcha du foyer embrasé et se laissa même aller à la jouissance de s'accroupir auprès des chenets. Blanche, pendant ce temps-là, pénétrait dans la dernière pièce et s'y barricadait.

Quand le duc jugea ses mollets rôtis à point, il voulut aller retrouver la duchesse et se heurta à une porte fermée: «C'est moi! fit-il, chère amie.

—Cher ami, répondit la jeune mariée; n'avez-vous pas un divan dans votre salon?

—Effectivement, répondit Largeay avec un hoquet d'angoisse.

—Eh bien, mon bon duc, répliqua Blanche, faites-moi donc l'amitié de vous y installer le mieux que vous pourrez. J'ai un peu mal de tête et je voudrais dormir seule. Souvenez-vous que vous m'avez promis de ne jamais vous plaindre de mes petites fantaisies.

—C'est vrai, gémit le duc... mais celle-là... est inattendue.

Blanche coupa court à l'entretien en disant:

—Bonne nuit, cher duc. Enveloppez-vous bien pour ne pas vous enrhumer.

Le lendemain matin, à huit heures, le concierge de Jacques lui apporta une lettre cachetée qui venait d'arriver par exprès. C'était une bande de papier timbré pour billet à ordre.

Mérigue y lut:

«Mon coeur vous reste.

«DUCHESSE BLANCHE DE LARGEAY.»

FIN DE LA PREMIÈRE PARTIE

DEUXIÈME PARTIE

LE MÉPRIS DE L'HOMME

Coeur trop haut.

I

LA SALLE DU PRÉ AUX CLERCS

«A bas le calotin! A l'eau le Jésuite! A la lanterne Torquemada! Enlevez-le! Sus à Basile! Mort au corbeau! A la guillotine le ci-devant!»

Tels étaient les cris, accompagnés d'autres imprécations moins convenables, qui accueillaient, au cours d'une réunion d'autonomistes, en l'illustre salle du Pré aux clercs, l'apparition inattendue de Jacques de Mérigue à la tribune. L'estrade était occupée par plusieurs notabilités du parti radical où l'on remarquait, entre autres intelligences lumineuses, les citoyens Troubault et Baroudier, représentants de Paris. Cette assemblée, annoncée depuis plusieurs jours par les journaux cramoisis à grands renforts de tamtams et de grosse caisse, avait pour but la formation d'un comité de la libre-pensée au milieu du quartier le plus religieux de la capitale. Naturellement tout ce que la clientèle des salles Levis, Graffard et autres, renferme d'escarpes et de tire-laine, s'était donné rendez-vous ce jour-là au local du Pré au Clercs. On avait défié par avance les réactionnaires et les *aristos* de se présenter à la séance, et Mérigue, accompagné du baron de Sermèze et de quelques autres vaillants, avait relevé le gant et profité d'une bourde expectorée par le président, le citoyen Troubault, pour réclamer la parole et se précipiter à la tribune. De grossières protestations s'étant élevées aussitôt, l'ancien candidat avait salué la foule, hurlante de l'exclamation un peu risquée de «Vivent les Jésuites» qui avait déchaîné l'ouragan dont un bien faible écho est reproduit en tête de ces lignes. Jacques ne se laisse point intimider; il fait d'héroïques efforts pour permettre à sa voix de dominer le tumulte, mais l'auditoire appelle le brouhaha des bancs et des cannes à la rescousse des beuglements.

Le président Troubault somme l'orateur d'évacuer la place.

— Vous imprimez depuis huit jours que je n'aurai pas le courage de monter ici, reprend Mérigue. J'y suis, j'y reste!

Nouvelle tempête de clameurs: «A bas Mac-Mahon! «A bas Fourtou! Mort au seize-mai! A l'eau, à l'eau!

Sur cette dernière interjection, Jacques de Mérigue prend avec le plus grand calme le verre d'eau sucrée destiné au conférencier radical, et le vide d'un trait aux yeux de six cents énergumènes ébaubis devant tant d'audace.

— Je vous ordonne de descendre, réitère le citoyen président.

— Vous ne comprenez la tolérance que comme le secrétaire de l'Élysée, riposte Mérigue.

Un flot de furieux se précipite vers l'estrade pour exécuter l'intrépide jeune homme. Ses amis, dirigés par le baron de Sermèze, s'élancent en avant et, par une pression énergiquement exécutée, refoulent un instant les envahisseurs.

Mérigue alors enfle ses poumons d'une aspiration suprême et jette cette apostrophe à la multitude furibonde: «Est-ce que par hasard vous me trouvez la tête d'un otage?»

Cette dédaigneuse bravade est lancée d'une voix pleine, sonore, retentissante. Toutes les oreilles l'ont entendue. C'est alors, de la base au sommet et de la gauche à la droite de l'énorme salle, un tonnerre de rugissements, de grognements, de trépignements. Les quelques royalistes égarés dans la horde fédérée sont enveloppés et bousculés.

Mérigue saute magnifiquement au milieu de la mêlée pour apporter à ses amis le contingent de ses poings redoutables.

Le baron de Sermèze, qui allie un courage impassible à une vigueur peu commune, distribue des coups formidables et pratique à chaque fois de sérieuses brèches parmi la cohue tourbillonnante des assaillants. Les démagogues sont six cents contre huit, mais ils sont pour la plupart maladroits, indisciplinés, lâches, et fortement émus par d'abominables libations. Ceux qui occupent les derniers rangs poussent ceux du centre, ce sont toujours les mêmes qui empoignent les horions terribles impartialement distribués aux quatre points cardinaux par le bataillon carré de Sermèze. Cette petite phalange de spartiates forme un rempart autour de Jacques qui domine de la tête ses braves compagnons, et montre, lui aussi, qu'il n'est pas manchot, après avoir prouvé qu'il n'était pas muet. Les représentants du peuple, blêmes de stupeur sur leur estrade ébranlée, lèvent leurs mains et leurs yeux vers le ciel comme de simples cléricaux en prières. Ils ont la vague appréhension de voir cette poignée d'enragés réactionnaires rosser à plate couture leur armée fidèle, et donner l'assaut à leur Olympe qui serait insuffisamment défendu par la foudre de leur éloquence.

Le président Troubault se penche à l'oreille de l'assesseur Baroudier.

—Ces b...-là, dit-il, vont nous assommer tout notre monde; voyez donc comme ils tapent. Hue donc! hue donc!

—Pourvu qu'ils ne montent pas jusqu'ici, reprend le deuxième représentant. Ils en seraient bien capables.

—C'est ce que j'étais en train de me dire, ma vieille branche... Ces jeux-là ne sont plus de notre âge. Si nous allions colporter quelques paroles de conciliation.

—Peste, comme vous raisonnez. Il faudrait descendre pour cela... diable!

—Ils n'oseront pas nous cogner si nous nous présentons en pacificateurs. Si nous leur offrions de rendre la parole à cet enragé de Mérigue?

—Il faudrait la trouver pour la rendre.

—Ah! ils sont repoussés, enfin, Dieu soit loué.

—Comment Dieu? A quoi pensez-vous, dans une réunion de comités libres-penseurs!

—Diable! les voilà qui reviennent. Ils sont à deux pas de la tribune.

—Mon Dieu! mon Dieu! Nous sommes perdus.

—Non... voilà qu'ils reperdent du terrain. Eh bien, mon petit! Vous avez invoqué à votre tour le nommé Jéhovah. Ça vous apprendra à me blaguer.

—Une habitude incorrigible. C'est la force occulte directrice des choses que j'aurais dû prendre à témoin.

—La force occulte... Vous êtes bon... C'est une force manifeste qui nous serait nécessaire. Oh! Seigneur Jésus!... Ils reviennent sur nous... Allons-nous-en.

—Il est difficile de quitter notre poste; d'abord, il y a la question de décorum... et puis par où diable voulez-vous décaniller?

—Le décorum doit être mis de côté dans les cas de force majeure. Il y a une petite porte derrière la tribune... Je crains qu'il nous faille... en passer par là. Oh! que ça va mal!

—Pardieu! Il n'y a qu'une vingtaine des nôtres qui soient sérieux. Les autres poussent et se gardent bien de remplacer les blessés.

—Vous qui avez des cheveux blancs, Baroudier si vous essayiez de faire entendre des paroles de paix... Je crois que c'est le meilleur moyen... ils n'oseront pas frapper un vieillard.

—C'est très délicat ce que vous me demandez là.

—Au nom de la République démocratique et sociale.

—Mais vous, au contraire, qui êtes plus jeune, vous courriez beaucoup moins de risques.

—C'est une erreur. On me prendrait pour un combattant et on me cognerait... Allons, Baroudier, le temps presse.

Le citoyen Baroudier se laissa persuader et se mit en demeure de descendre. Au dernier échelon, un de ses coreligionnaires politiques, entièrement ivre, lui envoya un va-te-laver gigantesque qui l'eût bombardé au repos éternel si Mérigue lui-même, presque acculé aux tréteaux en cet instant, n'eût pris en pitié le vieux démocrate et prestement paré le coup. Du haut de son siège, le président Troubault frissonne. Baroudier, vivement heurté, fut renversé sur les marches de la tribune et parvint à grand'peine à revenir auprès de son collègue. L'anxiété de ce dernier croissait de minute en minute. Le groupe compacte des opposants, trop faible pour se maintenir en un lieu déterminé, oscillait tantôt dans un sens, tantôt dans l'autre, sous les propulsions alternantes de la foule, mais il ne se laissait jamais entamer et offrait constamment à ses adversaires un front de bataille éminemment pratique, composé de seize poings aguerris et infatigables qui s'abattaient, se relevaient et retombaient encore, avec la régularité des marteaux-pilons dans les forges.

Les royalistes étaient tous plus ou moins violemment contusionnés des chevilles à la ceinture. C'était toujours aux régions basses de leurs corps que s'adressaient les attaques des autonomistes. Quant à ceux-ci, ils comptaient déjà une vingtaine des leurs assez sérieusement atteints pour n'être plus d'aucun secours actif sur le terrible champ-clos. Soudain, Troubault dit à Baroudier: «Mon cher collègue, nous ne pouvons pas laisser compromettre, dans cette bagarre, notre dignité de représentants du pays. C'est une question de tenue et de convenance. Je vous cède pour un moment la présidence terriblement honoraire — je l'avoue — et je m'en vais par la petite porte de derrière chercher la police. Surtout, que personne n'en sache rien. Ma réélection serait compromise dans deux mois.»

A ces mots le président s'éclipsa, suivant la méthode indiquée, et alla droit au bureau de M. Gilet, commissaire de police du quartier, puis revint avec une agilité non moins grande reprendre possession de son fauteuil. Le magistrat, dont l'appui était réclamé, ceignit son écharpe et, à la tête d'une escouade de douze agents, fit irruption dans la salle un quart d'heure à peine après la réquisition qui lui avait été faite.

L'aspect des sergents de ville produisit dans la multitude un sauve-qui-peut général. La grande porte fut en un clin d'oeil encombrée et obstruée.

Un silence relatif s'étant établi, M. le commissaire Gilet en profita pour prononcer la dissolution de l'assemblée, et le citoyen Baroudier protesta en termes éloquents contre cette violation de la liberté et des droits garantis par la constitution.

L'évacuation s'opéra d'une façon désordonnée et tumultueuse, et mit près de trois quarts d'heure à s'effectuer. Mérigue et ses amis sortirent les derniers avec M. Gilet et les gardiens de la paix. Les royalistes s'attendaient à ce que la lutte recommençât dans la rue, mais ils avaient compté sans l'inconstance des adeptes de la libre-pensée, qui, à peine hors du lieu de réunion, se dispersèrent rapidement dans toutes les directions et allèrent peupler tous les zincs du voisinage. C'était bien le moins qu'ils puissent faire après s'être couverts pendant une heure de la glorieuse poussière des combats.

Le commissaire de police pria Jacques de vouloir bien rester quelques instants à sa disposition pour s'expliquer sur le grief de provocation au désordre formulé contre lui par le citoyen Troubault. Au moment où ces messieurs tournaient l'angle de la rue du Bac et de la rue de Varenne, un des membres de l'assemblée dissoute, qui semblait en proie à un délirium alcoolique, se jeta à l'improviste sur M. Gilet, brandissant à son poing un stylet acéré.

Le magistrat n'eut pas le temps de se jeter en arrière, et il eût été infailliblement poignardé si Mérigue, plus prompt que le misérable, ne lui eût arrêté le bras.

L'irascible électeur fut rapidement saisi et désarmé par les gardiens, tandis que le commissaire disait à Jacques: «Monsieur, vous m'avez sauvé la vie. La personne et la reconnaissance d'un fonctionnaire de mon ordre sont bien peu de chose aux yeux de l'opinion, mais je puis vous jurer que si jamais le brillant orateur Jacques de Mérigue pouvait avoir besoin du pauvre policier Anselme Gilet, il devrait compter sur lui comme sur le meilleur des gentilshommes.»

Jacques considéra à la lueur d'un réverbère l'interlocuteur qui lui tenait ce langage inattendu. Avec son coup d'oeil habile et sûr, il reconnut en cet homme le type du fonctionnaire courageux, loyal, souverainement honnête et possédant un coeur sous son écharpe. Spontanément il lui tendit la main. M. Gilet la serra avec une émotion frémissante et lui dit: «Maintenant, monsieur, vous êtes libre. Je crois que je n'ai rien de plus agréable à faire pour vous que de vous priver de ma compagnie. Au reste, pour ce qui est de la réunion, je sais parfaitement d'avance de quel côté sont les torts. Adieu, monsieur, et au milieu de tous les triomphes que l'avenir réserve à votre talent, n'oubliez pas qu'en arrachant aujourd'hui un de vos semblables à la mort vous avez remporté votre plus belle victoire, la seule peut-être dont l'image soit destinée à briller dans votre souvenir sans ombre et sans nuage.»

Les amis de Mérigue entendirent les remerciements du commissaire et voulurent plaisanter au sujet des belles phrases de ce vilain homme. Jacques leur imposa silence en disant: «De grâce, messieurs, la rencontre d'un homme de coeur est chose assez rare pour n'en point faire un thème à railleries. Qui peut savoir, en ces temps troublés, si je ne serai pas un jour réduit à l'amitié de M. Gilet?

—Ce n'est pas flatteur pour la mienne, répondit Sermèze.

—Oh! la tienne! fit Jacques, elle est toujours sous-entendue.

Jacques de Mérigue s'était remis avec ardeur à la conquête des étoiles. En dépit de la plaie, toujours saignante, qui lui rongeait le coeur, il avait dirigé vers le travail toutes les forces de sa volonté. Les élections législatives devaient avoir lieu à bref délai et, le scrutin d'arrondissement subsistant encore, le jeune héros limousin comptait briguer le siège afférent à sa circonscription. Il était en train, pour le moment, d'augmenter sa notoriété autant que cela était possible, en prenant la parole dans toutes les réunions parisiennes dont il pouvait avoir connaissance. La lecture du billet de la duchesse l'avait violemment émotionné, mais il n'avait pas eu un instant la pensée d'y répondre d'une façon quelconque. Le nom de ses pères souffleté dans sa personne criait trop haut contre l'auteur de l'outrage; mais il s'était surpris approchant de ses lèvres l'écriture enchanteresse, et il avait voulu se punir d'une seconde faiblesse en déchirant la noble lettre, et en jetant dans la rue ses débris froissés d'une main crispée.

II

LUNE DE MIEL

—Eh bien, ma chère Blanche, disait la comtesse douairière de Vannes d'un ton distrait, tandis qu'elle poursuivait certainement par la pensée le vol de son aiguille sur quelque canevas fantastique; eh bien, ma chère Blanche, es-tu bien contente et bien heureuse?

—Tout à fait, maman.

—Tu me dis cela d'un air peu convaincu.

—Oh! qui vous donne ce soupçon bizarre?

—Le duc est-il toujours bien gentil pour toi?

—Adorable. Je le vois une demi-heure par jour.

—Comme c'est peu, ma pauvre enfant. C'est vraiment bien mal à lui.

—Comment donc! comment donc, chère maman. C'est assez. Je n'en réclame pas davantage.

—Tu ne veux pas que je lui dise.....

—Ah! Dieu du ciel. Gardez-vous en bien.

—Tout amicalement... sans paraître lui faire de reproches... au cours d'une conversation...

—De grâce, maman, laissez-le donc tranquille; je l'aimerais peut-être beaucoup moins s'il était perpétuellement sur mes talons.

—Tu l'aimes donc toujours bien, ma petite Blanche?

—Suffisamment.

—Et lui te rend-il comme tu le désires tes sentiments d'affection et d'amour?

—Oh! comme je le désire.

—Voyons. Raconte-moi un peu ta journée. Tu te lèves toujours tard...?

Sur le coup de onze heures; mais je suis réveillée au point du jour.

—Et que peux-tu bien faire de six à onze?

—Mon Dieu, Maman, je prends du chocolat par toutes petites gorgées; la première me brûle, la dernière me gèle... puis je lis les romans nouveaux.

—Et ton mari, pendant ce temps-là?

—Mon mari, dit Blanche en éclatant d'un rire dédaigneux, est-ce que je puis le savoir? Depuis cinq semaines, il est entré une seule fois dans ma chambre.

—Dieu! est-ce possible?

—A quatre heures de l'après-midi.

—De l'après-midi, ma petite Blanche?

—Pour me demander l'adresse d'une fleuriste.

—Il t'envoie encore des bouquets?

—Ah! vous plaisantez, maman.

—Mais vraiment, ma fille, tu me plonges dans la stupeur. Où peuvent donc aller ces fleurs?

—That is the question. Je m'en soucie peu.

—Comment! il n'est entré qu'une fois dans ta chambre...? mais je pense que tu veux parler de la journée; j'espère que le soir... tu n'es pas seule.

—Non, je fais venir ma femme de chambre.

—Mais, la nuit, chère enfant?

—Ah! je ne suis pas peureuse, tranquillisez-vous.

—J'étais décidément promise à des étonnements aujourd'hui, moi qui ne pouvais jamais me débarrasser de ton pauvre père quand il vivait.

—Nous sommes une famille pleine de contrastes.

—Voyons, Blanchette... et quand tu es levée...?

—Je déjeune à la vapeur.

—Avec ton mari, j'espère?

—Généralement; mais il arrive toujours en retard, et il en est encore aux hors-d'oeuvre quand je mange la confiture.

—Est-il au moins bien mignon pendant le repas?

—Toujours à moitié endormi.

—- Il ne t'embrasse pas un peu, ma fille?

—Oh! si, de temps en temps... dans les cheveux.

—Dans les cheveux?

—Parfaitement, ça le fatigue de se courber.

—Il est toujours bien doux avec toi, ma chérie?

—Il ne m'a pas encore gifflée.

—Ah! vraiment.

—Ni même maltraitée.

—Quel époux modèle!

—Ni même injuriée.

—Il est trop bien élevé pour ça, j'espère.

—Et puis il sait bien que je lui rendrais.

—Après déjeuner que se passe-t-il?

—Je vais faire mes visites et puis mes petites courses particulières, mes petites études de moeurs, puis je rentre sur les cinq ou six heures, après avoir croqué quelques petits fours. Je reprends mes livres ou bien je dors jusqu'à sept heures et demie... puis je dîne.

—Avec le duc?

—Pas habituellement. Il trouve la cuisine du club très supérieure à la mienne.

—Oh! fi, le vilain.

—Il est vrai, pour tout dire, que la conversation de ma femme de chambre me paraît beaucoup plus intéressante que la sienne.

—Et tu ne le vois plus de la soirée?

—C'est très rare.

—Il ne t'amène jamais au théâtre?

—Il ne me défend pas d'y aller seule.

—Pauvre enfant! Quelle existence solitaire et monotone. Je viendrai te voir tous les jours, puisque c'est comme ça; je t'apprendrai à broder.

—Grand merci, ma petite maman, vos distractions sont trop follichonnes.

—Tu ne t'imagines pas comme ce travail-là fait passer le temps, et puis, il est si captivant, j'en rêve la nuit.

—Ma pauvre maman... eh bien, il m'arrive aussi de broder quelquefois... de jolis petits romans, dans mon imagination.

—Il est malsain de s'abandonner à la rêverie, ma petite Blanche.

—Parlons d'autre chose, chère maman. Sait-on ce que devient M. de Mérigue?

—M. de Mérigue... ah! oui, ce petit professeur que nous avons reçu et qui s'est présenté aux élections, je crois.

—Précisément... Le répétiteur de Théodore enfin... vous avez l'air de tomber des nues...

—Il n'est plus répétiteur de Théodore, il a dit à ton frère qu'il ne pouvait plus s'occuper de lui, qu'il avait d'autres chats à fouetter, je crois. J'espère bien qu'il n'aura pas fait subir ce traitement-là à mon fils...

—Il aurait eu raison quelquefois... Je le trouve très bien ce jeune homme... décidément.

—Il n'est pas de notre monde, mon enfant.

—Ah! c'est ça qui m'est égal! Si vous croyez qu'ils sont toujours drôles les gens de notre monde? Je suis sûre que lorsque M. de Mérigue se mariera il rendra une femme joliment heureuse.

—Que nous importe, ma fille! N'avons-nous rien de mieux à faire qu'à nous occuper de ces petites gens?

—Ah! c'est trop fort!... D'abord, de votre part, c'est de l'ingratitude... Ce pauvre garçon qui gagne peut-être vingt-cinq louis par mois à la rue de Monceau, vous en a donné cinq d'un seul coup à votre dernière quête.

—C'est bien possible, ma fille. Je ne me rappelle pas. Le prince de Gabrielli m'a bien remis un billet de mille. Si j'étais obligée d'avoir de la reconnaissance pour tous les gens qui m'ont envoyé leur offrande, je n'aurais plus le temps...

—De broder, chère maman.

Blanche de Vannes avait sommairement raconté sa vie quotidienne à la comtesse douairière, mais elle n'avait fait aux pensées qui l'agitaient qu'une bien légère allusion, que la noble manieuse d'aiguille n'avait aucunement pénétrée. Elle avait singulièrement débuté dans la vie matrimoniale en consignant son mari à la porte de sa chambre à coucher. Celui-ci n'avait éprouvé qu'une légère vexation toute passagère et non suivie de rancune contre la compagne de son existence. C'était pendant cette première nuit solitairement écoulée, que la jeune duchesse avait rempli, à l'adresse de Mérigue, la singulière lettre de change dont le texte était si bref et si catégorique. Elle avait attendu une réponse pendant de longues journées, et courait souvent elle-même à la loge aux heures de passage des facteurs. Le «béguin» qu'elle avait eu pour le jeune candidat se transformait décidément et invinciblement en un sentiment profond d'attachement qui contenait le germe d'une passion folle et irrésistible. La solitude presque absolue où vivait Blanche était un aliment de plus à cet étrange amour, et compliquait les mouvements de son coeur d'une violente excitation cérébrale. Les quelques moments passés avec le duc irritaient et exaltaient ses pensées; elle comparait sans cesse et avec une mesure d'appréciation peu impartiale la platitude de l'homme qu'elle apercevait en face d'elle, et l'auréole du fantôme qu'elle poursuivait dans ses rêves. Ce duc, si froid, si compassé, si correct dans sa tenue irréprochable, si uniforme dans sa vie frivole et inutile, et ce bel aventurier si romanesque, si ardent, si dédaigneux de l'étiquette, si impétueux dans ses ambitions hardies, ces deux êtres, si dissemblables, ne pouvaient s'équilibrer dans les plateaux d'une balance intelligente. La duchesse en était même venue à admirer vaguement, comme un trait inouï d'audace, cette prétention insensée de Jacques, qui avait d'abord révolté son orgueil. Elle cherchait à cet acte fou des circonstances atténuantes, et elle découvrait comme telles, avec un frémissement intime, la séduction de ses charmes et l'attraction exercée par sa beauté, bien capables sans doute de griser le cerveau d'un homme. Ce qu'elle ne pouvait point encore comprendre, c'était que l'explosion de son dédain eût fait à Mérigue une incurable blessure. Aussi était-elle de jour en jour plus stupéfaite du silence implacable où le poète se renfermait.

III

SUITE DE LA MÊME LUNE

—Oh! voyons, ma petite Zoé, tu n'es pas raisonnable, je t'ai encore donné hier cinquante louis pour payer ton terme.

—Ah ça! mon petit duduc est-ce que tu t'imagines qu'on n'a pas autre chose à faire qu'à penser à son loyer, et que je vais jeter tout de suite tes jolis petits monacos à la tête de cet escogriffe de concierge. Ce sont des soufflets qu'il attrapera, s'il insiste.

—Mais, ma fignolette, il te fera donner congé, tu seras expulsée, quel déshonneur pour moi si l'on dit au club que j'ai laissé vendre les meubles de ma petite Louloute six semaines après avoir fait un riche mariage.

—Certainement, c'est un déshonneur.

—On me traitera d'ingrat, d'oublieux, de pingre, de vieux rapiat, de sale grigou.

—Surtout de mufle et de moule, et on aura diablement raison.

—Tu es dure, ma petite Zoé.

—C'est toi qui est dur. Comment tu me donnes un billet de mille et parce que ça se trouve être le montant du terme, et que ce terme arrive par hasard à échoir aujourd'hui, il faut que je renonce à tous mes petits projets et que je jette cette somme dans ce tonneau des Danaïdes qui s'appelle la poche du propriétaire. Va donc, mon vieux. C'est toi qui n'est pas raisonnable, pour deux sous, vois-tu.

—Pour mille francs.

—Ah! voila-t-il pas une belle affaire! Quand Mme la duchesse de Largeay aurait une perle fine de moins.

—Laisse donc la duchesse tranquille... comme je fais moi-même.

—Je te dis que tu me lâches.—C'est pas gentil.

—Voyons, je te donne tout le temps que me laissent le club et ma promenade à cheval.

—Je te répète que tu me lâches pour ta petite duchesse de rien du tout.

—Tu es dure, ma petite Zoé.

—... Qui t'a fermé la porte au nez, le soir de tes noces.

—Hein! tu dis?

—Fais donc pas ton gros malin. Tout le monde le sait.

—Tout le monde sait... que...?

—Que tu as passé la première nuit sur le divan de l'antichambre, l'histoire a roulé dans tous les journaux du boulevard.

—Est-ce que je lis ces ordures, ma chère?

—Eh bien, moi, si tu n'es pas plus aimable, je vais faire comme la duchesse... je mettrai le verrou à ma porte... et tu te trouveras... tu sais comme l'infortuné cavalier le... dos par terre... entre deux selles...

—Oh! que tu es dure, Zoé.

—C'est toi qui es un sans coeur.—Au moment où ta fortune augmente de cinquante mille livres de rente, tu veux que je paye mon terme... si tu y tiens tant à ce terme, tu n'as qu'à le payer toi-même, je ne m'y oppose pas, mais j'avoue que tu ferais bien mieux de me donner l'argent...

—Tu me fais des facéties.

—Si c'était cette grande sauterelle de Microche qui te le demandât, tu t'empresserais de lui obéir.

—Il y a six mois que je ne l'ai vue.

—Je crois bien, elle te claquait, mais elle savait te mettre aux pas tout de même.

—Qui t'a raconté ces bourdes?

—Ça traîne dans tous les journaux.

—Je t'ai déjà dit que je ne lisais pas ces ordures.

—Si la duchesse te demandait mille francs tu les lui donnerais.

—Elle ne me demande jamais rien. Elle est bien plus sage que toi.

—Eh bien... écoute... Moi j'ai besoin d'argent... par dévouement pour toi j'ai repoussé des offres très brillantes... un sous-brigadier de la police des moeurs, un baryton des Folies-Dramatiques... un fabricant d'huile de foie de morue...

—Prends garde qu'il ne te mette dans son pressoir.

—Impertinent! Je vais faire comme la grande Microche. Gare aux calottes.

—Décidément, tu es trop dure, ma petite Zoé.

—Non content de me refuser du pain, tu m'insultes, tu me nargues au moment où je te donne les preuves de mon affection et de ma fidélité.

—Là! là! ne va pas pleurer maintenant... réconcilions-nous. Tu sais bien que je suis ton petit duduc...

—Donne-moi cinquante louis.

—Je te les enverrai ce soir.

—Tu sais, pas de blague! si je ne les ai pas avant la nuit, je fais comme la petite dame de l'hôtel de Bade.

—Allons, allons, ne te chagrine pas, tu les auras.

—Et puis, tant que j'y pense... tu feras peut-être bien de payer le terme aussi.

—Aïe, aïe, tu crois?

—Dame, c'est toi qui l'as prétendu tout à l'heure.

—Enfin... soit. Mais il faudra que tu sois joliment mignonne. Adieu, Fifine, et le duc sortit.

—Va donc, grand serin, murmura Zoé en se jetant sur son canapé.

IV

DOUBLE CROISEMENT

L'allée des Acacias resplendit dans la jeune gloire du printemps. Les grands arbres, doucement remués par une brise vague, répandent une ombre fraîche et un large flux de senteurs embaumées. Les rayons obliques du soleil couchant glissent parmi les floraisons et les verdures comme des regards souriants à travers les cils d'une blonde amoureuse. Une légère buée flottante noie les coteaux de Saint-Cloud dans un lointain nébuleux. Toutes les vigueurs et toutes les allégresses des bois ressuscités s'agitent dans le tremblement des feuillages. Les arbustes, les herbes, les fleurettes des massifs, éveillés de l'engourdissement hivernal, aspirent joyeusement leur part de vie, sous le balancement uniforme et cadencé des hautes branches. L'azur transparaît à la cime des arbres, purifié et avivé par le souffle du vent. Quelques flocons de nuages s'abaissent vers l'Occident et s'illuminent des teintes fauves d'un embrasement; mille reflets ondoient sous l'épaisseur des rameaux tendres, comme projetés par des miroirs fugitifs. Ils se poursuivent, se croisent et s'entremêlent, pour se séparer encore et recommencer sans fin leurs danses lumineuses.

A part quelques piétons bien rares, la foule bigarrée qui encombre l'avenue est insensible au langage de la nature radieuse. La grande chaussée est complètement obstruée d'une quadruple rangée d'équipages dont les courants ascendants et descendants se côtoient sans se heurter, sous l'habile conduite des cochers et la vigilance des gardiens du bois. Toutes les voitures vont au pas, et les chevaux, la tête haute, les naseaux palpitants, tous les muscles tendus et cambrés, frissonnent d'impatience nerveuse sous la splendeur des harnais étincelants, et mâchent leur mors tout blanc d'écume. Au fond des coupés, des victorias et des landaus, des personnages de tout âge et de tout sexe, ayant de commun un inexorable ennui, laissent errer dans le vide leurs regards atones. Quelques sportsmen et quelques belles petites conduisent leurs boggys et leurs phaétons et ne paraissent pas s'amuser beaucoup plus que les burgraves des grands carrosses. On voit çà et là des fiacres piteux, égarés comme par hasard parmi l'opulence des voitures de maîtres: on dirait d'humbles mendiants tendant leurs sébilles à la sortie d'une grand'messe. L'allée réservée aux cavaliers possède quelques fidèles excentriques qui tantôt se livrent à des steeples vertigineux, tantôt lorgnent insolemment les dames, sans distinction de rang ni d'espèce. Le chemin des piétons est rempli d'une foule disparate. Le jeune boudiné y coudoie l'ouvrier endimanché et le tourlourou au bras de sa payse; le petit employé, éreinté par six jours de rond de cuir, y salue son chef de service à l'arrière-train gélatineux, auquel la Faculté ordonne des promenades hygiéniques. A tout prendre, c'est encore parmi ces pousse-cailloux que se trouve la plus grande somme d'intelligence et de vie.

Le duc et la duchesse de Largeay parcourent l'avenue en landau découvert; la conversation des deux jeunes époux n'a point été bien remarquable de durée ni d'animation. La duchesse souffre, le duc s'ennuie.

—Belle journée! a dit le duc sur la lisière du bois.

—Effectivement, a répondu la duchesse.

—On devrait bien interdire cette promenade à ces fiacres infects.

—Comme vous êtes sévère, mon ami.

—Voyons, chère amie, est-il possible à la vue d'un homme qui aime la correction en toutes choses d'être réduite à tomber sur ces sapins crottés et ces haridelles osseuses. Une bonne police y devrait mettre ordre.

—Je ne suis pas de votre avis.

—Voyez plutôt à Hyde-Park... à la villa Pamphili... mon *desideratum* y est un fait accompli.

—Oh! ne me parlez pas latin, mon ami, vous risqueriez de vous tromper.

—Toujours malicieuse.

—Les petites gens des fiacres vous rouleraient sur cet article-là.

Le duc eut une moue dédaigneuse.

—Pour moi, continua Blanche, je trouverais barbare la mesure que vous proposez.

—Vous devenez bien philanthrope, ma chère. Je ne vous ai pas toujours connue ainsi.

—C'est vrai, cher duc. Je l'avoue à mon honneur ou à ma honte; je sens depuis quelques semaines comme un grand courant d'humanité qui passe dans mon âme.

—Un courant d'humanité! Vous avez appris cela au cours de M. Caro?

—Non, mon ami; mais en regardant vivre autour de moi les gens qui montent en fiacre, et même ceux qui n'ont pas de quoi y monter.

Le duc de Largeay poussa sans répondre un petit ricanement. La duchesse haussa les épaules et laissa tomber la causerie. A ce moment son landau était complètement arrêté; elle promena ses yeux sur l'allée des piétons. Elle aperçut d'abord un grand cuirassier qui lutinait une petite bonne et elle envia vaguement le bonnet et le fichu de la soubrette. Elle vit ensuite un jeune ouvrier robuste et bien découplé qui se dandinait les mains dans ses poches, en promenant ses regards dans la foule, comme sur un champ fertile en conquêtes. Elle le considéra avec un intérêt qui excédait les bornes de la curiosité pure et simple. Tout à coup, Jacques de Mérigue, rêveur et pâle s'offrit à ses yeux. Il débouchait d'une allée sombre et s'arrêta comme à dessein en face du landau ducal. Blanche ayant toussé à deux reprises, leurs yeux se rencontrèrent; Mérigue salua gravement et détourna la tête, tandis que la duchesse le dévorait du regard et ployait son cou pour le suivre à travers la foule. Au même instant, de l'autre côté de la voiture, Zoé passait conduisant son boggy et lançait au duc un petit signe de tête provocateur. Largeay lui répondit par un geste de la main gauche. Blanche aperçut le mouvement et un sourire de plaisir éclaira son visage pendant quelques secondes. Elle venait en un laps de temps inappréciable de combiner tout un plan de campagne amoureuse, et elle faisait à son mari l'honneur singulier de lui réserver un rôle dans ses opérations stratégiques. Un des plus humbles marcheurs du bois occupait la pensée d'une des plus riches propriétaires de carrosses.

V

L'OBSESSION

—Théodore, as-tu besoin d'argent?

—Toujours, ma chère petite soeur.

—Je t'en donnerai si tu es bien sage.

—Que faut-il faire et combien me donneras-tu?

—Dix louis pour m'aider à gagner une gageure.

—Parle toujours.

—Voilà! J'ai parié à ton beau-frère que je devinerais où il passe ses après-midi.

—Oh! là, là. Donne-moi un peu ces dix louis.

—Tu me promets de me dire la chose; tu pourras examiner cela un jour de sortie.

—Exhibe les monacos, tu seras bientôt satisfaite.

Blanche prit deux billets de cent francs dans une cassette et les remit au collégien rayonnant:

—Eh bien, reprit alors Théodore, je ne vais pas te faire languir. Toutes les fois que mon beau-frère n'est pas ici, tu peux jurer qu'il est chez la petite Zoé.

Blanche murmura tout bas: vingt-trois heures sur vingt-quatre, puis continua à haute voix:

—Veux-tu bien te taire, petit polisson. Est-ce qu'à ton âge on parle de choses pareilles? C'est bien vilain, monsieur, de tenir un tel langage à sa soeur.

—Dame! tu veux savoir la vérité... tu me l'as même achetée... je t'en donne pour ton argent.

—Petite Zoé, petite Zoé, d'abord quelle est cette personne, je te prie?

—Une horizontale de grande marque.

—Affreux gamin! qui t'a enseigné des mots pareils! A dix-sept ans, c'est scandaleux. Je le ferai dire par maman au père Coupessay; drôle, va!

Théodore sortit en ricanant.

Dès que son frère se fut éloigné, Blanche se frotta les mains avec de petits rires nerveux. Le duc, par extraordinaire, dînait ce soir-là chez sa femme. La duchesse fut ironique et gouailleuse pendant tout le repas. Il y avait longtemps qu'elle soupçonnait les fugues de son illustre époux, mais elle était ravie de voir ses conjectures brutalement confirmées. Au dessert, elle renvoya les gens de service et dit à brûle-pourpoint au clubman:

—Que devient Monsieur de Mérigue, cher ami?

—Je vois qu'il revient à la surface de vos préoccupations.

—Je ne le nie pas. Il m'est sympathique. Quand l'invitons-nous à dîner?

—Quelle idée singulière!

—Pas du tout singulière! Il m'avait promis dans le temps de me lire son grand poème sur la Rédemption des damnés.

—Oh! vous aimez les choses lugubres!

—Quand elles sont dites par une personne qui ne l'est pas.

—Mais, ma chère, je ne tiens pas du tout à dîner avec ce poète candidat, et encore moins à entendre son épopée. Vos divertissements ne rappellent en rien les Bouffes.

—Il faut absolument qu'on vous rappelle Mlle Zoé pour que vous fassiez risette.

—Plaît-il, ma chère?

—Non, il ne plaît pas du tout, et si peu que je suis déterminée à demander ma séparation.

—Oui dà. Vous prenez les choses au tragique,—mais je ne comprends pas très bien.

—Je vais vous expliquer. Vous êtes constamment fourré chez une fille affligée du nom de Zoé, qui possédait déjà vos faveurs avant notre mariage.

Vous continuez vos assiduités auprès de cette... dame; un bon avocat trouvera très bien dans ce fait matière à séparation de corps, qui entraîne séparation de biens. Aïe, aïe. Vous faites la grimace, mon beau duc. J'ai déniché le petit endroit sensible. Eh bien, rassurez-vous. Je n'abuserai pas de mes avantages. Je n'entends pas vous troubler dans vos excursions peu édifiantes... mais, de grâce, mon cher, faites bon visage à mes amis.

Le duc de Largeay avait compris. Il grimaça son plus aimable sourire et répondit à sa femme:

—Un galant homme comme moi est toujours aux ordres de son épouse. Parlez, duchesse, vous serez obéie.

—Vous allez inviter M. de Mérigue à dîner pour après-demain soir.

—La date est un peu rapprochée.

—On ne se gêne pas avec les intimes. Prenez une de vos cartes... bien. Vous avez un crayon dans votre carnet? C'est parfait. Maintenant écrivez:

«Le duc de Largeay prie le vaillant orateur royaliste de vouloir bien lui faire l'honneur de venir dîner chez lui mardi soir, sans cérémonie. M. de Mérigue serait bien aimable d'apporter quelques fragments manuscrits de son grand poème, *la Rédemption des damnés*. La duchesse et moi serons enchantés d'entendre les beaux vers de cet ouvrage.»

Le duc transcrivit fidèlement le factum ci-dessus et l'envoya à domicile par un de ses laquais.

Cet homme de service rentra au bout d'une demi-heure porteur de la réponse suivante:

«Monsieur le duc,

«Je suis aux regrets de ne pouvoir répondre à votre honorable invitation. Je prends la parole mardi soir au local de la Société d'horticulture, dans le but d'arriver à la formation d'un comité électoral.

«Agréez, monsieur le duc, l'expression de mes sentiments distingués,

«JACQUES DE MÉRIGUE.»

P.S. — Tous mes remerciements pour les choses obligeantes que vous voulez bien penser au sujet de mes oeuvres.

Quand le duc eut donné lecture de cette épître, la duchesse s'écria vivement: Tiens! une idée; si nous allions entendre M. de Mérigue? Il admet les dames à ses réunions. C'est une partie de plaisir comme une autre, n'est-ce pas, mon ami?

— C'est un point de vue, ma chère.

— Vous m'y amènerez?

— Je vous y amènerai.

— Ah! vous êtes gentil ce soir.

Le duc et la duchesse, mal renseignés sur les heures, entrèrent dans la salle au moment de la péroraison. Mérigue s'écriait: «Le coeur du royaliste s'ouvre à toutes les gloires de la patrie, et le chevalier de Bouvines peut dire: Mon frère», au grenadier d'Austerlitz. Mais il faut revenir à la vieille souche dont la dernière pousse jaillit il y a deux cents ans au pied des nobles Pyrénées, à cette famille, au front blanc et éternel comme la neige des montagnes qui abrita son troisième berceau.» A ce mo-

ment l'orateur s'arrêta tout à coup; il venait d'apercevoir ses deux nouveaux auditeurs. Il mit son front dans ses mains; sa voix dominatrice s'éteignit, et il poursuivit d'un ton sourd et mélancolique: «Ne croyez pas qu'en vous conviant à la bataille je vous dissimule les épreuves que vous réserve le destin.

«Soldats de la résurrection nationale, ouvrez l'histoire du monde. Vous lirez sur toutes les tables d'ostracisme le nom de tous les rédempteurs. Vous sortirez sanglants et mutilés d'une lutte implacable contre l'indifférence du sort et l'ingratitude des hommes. Vous serez méconnus et honnis par ceux que vous avez le plus aimés. Ceux pour qui vous avez souffert mettront en doute vos blessures et se riront de votre vertu. Nouveaux Prométhées, vous aurez le sein rongé des vautours pour avoir touché au feu du ciel.

«Mais quand vous arriverez au seuil de la nuit dernière, vous trouverez l'ange de l'honneur debout sur la pierre tombale, et un divin sourire illuminera son front d'airain. Ses lèvres austères frémiront d'un tressaillement ineffable, et sa voix, comme un clairon prodigieux, fera retentir ces paroles à travers les échos du temps et de la mort: A vous, meurtris glorieux, l'immortalité des forts, l'apothéose des martyrs.»

Une longue salve d'applaudissements couvrit les dernières paroles de l'orateur. Tous les hauts personnages assis sur l'estrade vinrent lui tendre la main, un groupe d'auditeurs se précipita vers la tribune. Mais l'attention de Jacques était concentrée à l'extrémité de la salle du côté des nouveaux venus dont l'entrée avait troublé ses dernières périodes. Ses oreilles n'entendaient point les acclamations et les bravos, et son regard voilé d'un brouillard de tristesse cherchait à fixer une grande dame qui avait des larmes dans les yeux.

VI

LE BAL GABRIELLI

—Mon ami, c'est dans trois jours la grande soirée de la duchesse de Gabrielli.

—Oui, ma chère Blanche. Quelle corvée!

—Voulez-vous me rendre un petit service à ce sujet, mon cher duc?

—Vous savez que je n'ai rien à vous refuser.

—Je sais. Vous êtes à croquer depuis quelque temps. Tâchez de voir le duc ou la duchesse cet après-midi.

—Diable! cet après-midi... j'ai un rendez-vous avec mon tailleur!

—Bah! votre tailleuse attendra. Une minute vous suffira pour me satisfaire.

—Formulez vos désirs, duchesse.

—Un des amis de M. de Mérigue m'a dit que le poète-candidat désirait une invitation à ce bal.

—Rien de plus facile, ma chère amie... Vous êtes décidément hantée par *la Rédemption des damnés*!

—Comme vous par le souvenir de votre tailleur.

—C'est entendu, j'aurai une invitation pour votre protégé.

—Eh! je ne me défends pas d'être l'Égérie de ce pauvre Numa.

—Égérie? Numa? Vous dites?

—Rien, ce serait trop long à vous expliquer.

Et voilà comment Jacques de Mérigue reçut le soir même une invitation officielle à la soirée Gabrielli. Il pensa, non sans une certaine apparence de raison, qu'un de ses admirateurs politiques était l'auteur de cette gracieuseté. Les élections générales s'avançaient à grands pas et il était certain de rencontrer à cette réunion mondaine les sommités du parti royaliste. Aussi n'hésita-t-il point à endosser son frac et à se diriger au jour fixé, sur les minuit, vers le splendide hôtel de la rue Vanneau.

La duchesse de Largeay était arrivée à dix heures et demie, dans tout l'éclat de son altière et provocante beauté rehaussée par une toilette machiavéliquement simple: une robe en damas blanc et une énorme rose rouge parmi la forêt de ses cheveux noirs, comme une étoile éclairant les ténèbres. Blanche s'était constamment maintenue dans le premier salon afin d'entendre annoncer et de voir entrer tous les arrivants.

L'heure et demie qui s'écoula jusqu'à l'apparition de Mérigue lui parut interminable et désespérante.

Elle commençait maintenant à comprendre que le jeune homme, cruellement blessé par elle, avait résolu, soit par fierté, soit par rancune, de lui faire expier l'affront qu'elle lui avait infligé. Mais cette idée ne faisait qu'exciter davantage sa passion de jour en jour grandissante, et il ne pouvait pas entrer un moment dans son esprit que l'homme le plus rebelle et le plus ulcéré résistât longtemps à son pouvoir fascinateur.

Elle roulait dans sa tête cette orgueilleuse pensée quand un huissier annonça d'une voix sonore:

— Monsieur Jacques de Mérigue.

Blanche s'éclipsa derrière un groupe pour n'être point aperçue immédiatement par le jeune homme, et ne le quitta point des yeux, tandis qu'après le salut obligatoire aux maîtres de la maison il pénétrait lentement à travers la noble foule. Il y avait cette nuit-là deux mille personnes à l'hôtel Gabrielli; Jacques, à son entrée, fut matériellement ébloui par l'aveuglante clarté des lustres, ruisselant de tous côtés sur les remous des chevelures parées et sur la houle des épaules nues. On eût dit que, sous une illumination surnaturelle, les Vénus, les Hébés et les Fortunes d'un grand musée secouaient tout à coup leur engourdissement sculptural, et faisaient miroiter en de fiers mouvements leurs blancheurs marmoréennes.

Mérigue, un instant saisi, raffermit bien vite son regard et s'enfonça d'un pas ferme dans l'enfilade des salons resplendissants. Il serra la main à plusieurs notabilités de la droite monarchique et découvrit bientôt le petit vicomte d'Escal, le fauteur de sa première candidature, qui, blotti dans la pénombre d'un coin discret, lorgnait les jolies femmes avec un petit rire égrillard.

—Charmé de vous trouver ici, monsieur, lui dit Mérigue. Je désirais précisément causer un peu avec vous.

—Bien enchanté, répondit d'Escal avec une amabilité contrainte, maudissant au fond du coeur le passant intempestif qui venait troubler la douce paix de son petit observatoire.

—Vous avez été si gracieux pour moi lors des dernières élections municipales, continua Mérigue, que je ne doute point rencontrer en vous aujourd'hui le même appui et la même bienveillance.

Le vicomte d'Escal fit intérieurement une formidable grimace.

—Vous voulez tenter encore le sort des urnes, répondit-il d'une voix peu encourageante où Jacques lut sans peine l'anxiété du porte-monnaie.

—J'y compte, monsieur.

—C'est très cher, pour le Corps législatif. Le Comité n'est pas riche, vous le savez aussi bien que moi, et, quant à votre serviteur, il est dans une position absolument gênée et presque hors d'état d'acquitter le solde encore impayé des frais énormes entraînés par votre dernière candidature.

Il faut noter que le vicomte d'Escal n'avait pas d'enfant et possédait en revanche cent mille livres de rente en bonnes terres et en bons titres.

Il venait en outre de gagner un lot de cent mille francs au tirage des obligations de la ville de Paris.

Telle était la situation matérielle de l'homme qui affirmait avoir été ruiné par une dépense de cent louis.

—Il faut avoir confiance dans l'imprévu, mon cher vicomte, reprit Mérigue, et je suis du moins certain que votre appui moral ne me fera pas défaut.

—Oh! pour ma voix, mon cher Mérigue, vous l'aurez sans aucun doute, à moins toutefois que je ne sois à la campagne le jour de l'élection; je vous demande pardon de couper court à cet intéressant entretien, mais je guette depuis longtemps déjà le président du Comité auquel j'ai absolument besoin de parler... Bien enchanté de vous avoir vu.

Mérigue ne put retenir un léger haussement d'épaules et s'éloigna l'esprit soucieux. Comment ferait-il pour trouver les deux cents louis qui allaient lui être nécessaires? Tout à coup il sentit une légère pression sur son bras gauche, et se retourna vivement. Blanche de Largeay lui tendait la main. Jacques fût tombé à la renverse s'il n'eût été au milieu d'une foule aussi nombreuse. Il frissonna violemment mais reprit bien vite son empire sur lui-même. Il s'inclina devant la duchesse qui lui donnait un shake hand vigoureux.

—On ne vous voit plus, monsieur de Mérigue. C'est vraiment bien mal à vous d'oublier ainsi vos amis. Vous savez bien tout l'intérêt que nous vous portons.

—Soyez persuadée, madame, que je vous en suis très reconnaissant, mais en ce moment de nombreux travaux m'absorbent.

—Le duc et moi espérions si fort l'autre jour entendre quelques pages de la *Rédemption des damnés*!

Mérigue s'inclina sans répondre.

—Vous savez combien nous aimons la littérature en général et la poésie en particulier.

—J'étais retenu par des devoirs absolus, madame.

—Je le sais, je suis allée à votre conférence avec mon mari. Nous ne sommes malheureusement arrivés qu'à la fin, mais je déclare avoir entendu là une péroraison délicieusement émouvante.

Jacques s'inclina de nouveau.

—Mais enfin, poursuivit la duchesse, vous ne pouvez, malgré tout votre zèle et toute votre éloquence, faire un discours chaque soir. Je vais m'entendre avec mon mari pour vous prier de venir un de ces jours.

Mérigue fit un violent effort sur lui-même.

—Madame, reprit-il, je ne crois pas pouvoir répondre quant à présent au désir bienveillant que vous m'exprimez. Mes travaux considérables, la préparation d'une nouvelle candidature...

—Ah! vous allez vous porter pour la Chambre... Bravo. Toutes nos sympathies seront pour vous... Dieu! qu'il fait chaud dans ce salon, quelle déplorable mode que ces bals pendant l'été. Dansez-vous, monsieur Jacques?

—Jamais.

—C'est dommage, nous aurions valsé! Voulez-vous me conduire au buffet.

Jacques, plus mort que vif, offrit son bras à Blanche sans laisser tomber un mot de ses lèvres. Le buffet était à l'extrémité opposée des salons, et la duchesse de Largeay put marcher près d'un quart d'heure au bras de l'homme qu'elle aimait. Quand ils arrivèrent à la table des rafraîchissements et des victuailles, ils trouvèrent le précieux local encombré monstrueusement. De jeunes dandys montrant leurs dents blanches au sein des plus gracieux sourires, profitaient de la longueur de leurs bras pour faire passer aux jolies femmes des sandwichs et des verres de champagne, et de petits cris de fouines étranglées témoignaient parfois qu'une ou plusieurs gouttes du mousseux liquide avaient chuté sur les bras éclatants ou dans les nuques frissonnantes. De vénérables matrones portaient d'une main tremblante des babas juteux à leur bouche disgracieusement ouverte; de beaux gourmands, décorés de plusieurs ordres, engloutissaient rapidement des pains fourrés au foie gras tout en dévorant des yeux les poulets froids entourés de gelée. De petites dames maigriottes avalaient sans s'en douter des assiettes entières de petits fours aux ananas et de cerises glacées blanches et roses. De vieux Burgraves buvaient des bols de consommé nature et des petits verres de Château-Margaux, tandis que les danseurs exotiques s'attaquaient aux grosses brioches et aux petites tasses de chocolat. Le vicomte d'Escal fut aperçu dévorant à vilaines dents des truffes entières artistement enfilées en des broches d'argent.

—Comment approcher de cet Eldorado où il y a tant d'appelés et si peu d'élus? dit la duchesse à son cavalier muet.

—Veuillez m'indiquer ce que vous désirez, madame, je tâcherai de vous l'atteindre.

—Une petite flûte de champagne.

Mérigue opéra sans accident le transport du rafraîchissement demandé. La duchesse y trempa à peine ses lèvres, rendit le verre à Jacques et lui dit:

—Il y a trop de foule ici. Pas moyen de causer tranquillement. Voulez-vous me conduire à la serre du premier étage?

Jacques arrondit son coude et la grande promenade recommença à travers les habits distendus et les traînes froissées. Blanche, toute palpitante d'émotion, ne savait plus quelles phrases adresser à son partenaire implacable, et Mérigue, domptant par sa volonté les frémissements de son âme, paraissait insensible aux charmes suspendus à son bras inerte.

Il leur fallut vingt minutes pour aboutir au jardin d'hiver. Il était presque vide, tout le monde se pressant au salon principal où le cotillon allait commencer.

Blanche prit place sur un divan et contraignit pour ainsi dire son acolyte à s'asseoir auprès d'elle.

—Ce cotillon ne vous dit pas grand'chose, n'est-ce pas, monsieur de Mérigue? lui demanda-t-elle en manière d'exorde. Je serais certainement désolée de vous enlever à un spectacle susceptible de vous intéresser, mais je crois vous connaître assez pour être certaine que le déroulement banal de toutes ces ondulations vivantes vous laisse aussi froid qu'il me laisse indifférente.

—Vous me jugez bien, madame.

Blanche fut ravie de cette petite réponse, pour le moins aussi banale que les figures du divertissement chorégraphique. Elle estima que la glace était rompue et, dans les échos bruyants de l'orchestre qui parvenaient jusqu'au berceau de verdure où elle était abritée, elle crut entendre les fanfares de sa victoire prochaine.

—Êtes-vous méchant tout de même, monsieur Jacques, soupira-t-elle tout à coup avec un de ces sourires à faire damner tous les anges du ciel. Voyons, avouez-moi que vous êtes méchant?

—Même pour vous être agréable, madame, il m'est impossible de mentir. J'ai beaucoup d'imperfections et je m'empresse de les reconnaître. Mes qualités sont excessivement rares, mais vous voyez que l'humilité ne me fait pas défaut. Je suis donc assez impartial pour protester avec quelque raison contre une accusation de méchanceté. Je n'ai jamais su ce que c'était qu'infliger au plus infime des êtres vivants la moindre douleur, le plus petit chagrin.

Ces paroles furent prononcées par le poète d'une voix ferme et imperceptiblement mélancolique. La duchesse, avec son flair supérieur, comprit de suite qu'elle avait en face d'elle un adversaire sur ses gardes. Elle jugea que le lieu où elle se trouvait n'était pas propice au développement de toutes ses batteries et au déploiement de ses dernières réserves. Elle ne voulut point engager les carrés de la vieille garde.

—A propos, monsieur de Mérigue, dit-elle comme sous l'impression d'un ressouvenir subit, avez-vous un éditeur pour votre *Rédemption des damnés*?

—Il est bien rare, madame, répliqua Jacques, que les vers d'un poète inconnu trouvent un éditeur avant d'être terminés.

—Le duc de Largeay vous découvrira cela... d'ici quarante-huit heures.

—Tous mes remerciements, madame, mais mon oeuvre est encore inachevée. La question dont vous voulez bien m'entretenir est donc pour le moins prématurée.

—Peu importe, ce sera autant de fait. Je vous indiquerai après-demain le nom d'un éditeur par lequel vous serez bien accueilli. Trouvez-vous à deux heures au Louvre dans le salon carré, en face du *Charles Ier* de Van Dyck. Je vous donnerai de bonnes nouvelles. Je compte sur vous, n'est-ce pas?

Mérigue parut réfléchir quelques instants.

Blanche reprit avec volubilité:

—L'acceptation de ce rendez-vous est une question de galanterie. Ce principe une fois posé, je ne puis croire un instant que vous vous dérobiez à mon désir...

... A après-demain deux heures.

VII

LE SALON CARRÉ

Dans l'intervalle des deux rendez-vous, Blanche, mettant de nouveau à contribution la complaisance de son mari devenue inépuisable depuis la menace de séparation, lui avait éloquemment démontré quel beau rôle était celui de protecteur des lettres. Elle avait fait intervenir dans son exhortation les noms de Mécène et des Médicis, en les faisant suivre naturellement d'une légende explicative à l'usage du duc de Largeay. En fin de compte elle chargea l'amant de Zoé de dénicher un éditeur qui voulût publier le poème de Jacques. Le duc obtint l'adhésion d'un libraire à la mode, le célèbre Benjamin Rouault qui consentit d'avance à faire paraître la *Rédemption des Damnés* à la condition qu'il lui fût préalablement consigné une somme de cinq cents francs. Blanche ne fut point arrêtée par une aussi mince considération, et elle se rendit, alerte et légère, au rendez-vous qu'elle avait fixé en apportant à l'auteur inconnu le moyen de franchir la première étape de la renommée. Mérigue se dirigea vers le Louvre avec une douleur poignante dans l'âme, mais en conservant la ferme résolution d'être impassible et implacable. Il prévoyait tous les assauts qu'il allait subir, mais lorsque les élans de sa passion toujours vivante lui faisaient craindre une défaite, il rappelait à sa mémoire, avec la force intense d'imagination qu'il possédait, cette minute inoubliable, où les voeux les plus purs et les plus sincères de son coeur avaient été dédaigneusement rejetés, comme des loques tombées par hasard aux mains d'une reine. Il avait bien songé un instant, soit à s'excuser par lettre, soit à manquer purement et simplement le rendez-vous, mais à la réflexion il avait compris que ce serait là un éclatant aveu de faiblesse, qui augmenterait d'autant l'impérieuse présomption de Blanche.

Il allait donc bravement à la bataille avec un bouclier de dignité et un casque d'orgueil. L'exactitude était une de ses vertus maîtresses, et à deux heures, le jour indiqué, il se trouvait devant le chef-d'oeuvre de Van Dyck, cherchant à modeler son attitude sur la fière allure de Charles Stuart. La duchesse était depuis quelques minutes en poste d'observation dans l'angle opposé du salon carré, près du grand tableau de Poussin. Par une antithèse singulière avec sa toilette de bal, elle portait un costume entièrement noir avec une rose rouge à la place du coeur, manifestant ainsi à la fois le deuil de ses pensées et la blessure de son amour. Quand elle vit Mérigue arrêté devant la toile du maître Flamand, elle marcha droit à lui comme un taureau sur le picador.

—Vous êtes bien aimable, aujourd'hui, monsieur, et d'une ponctualité vraiment au-dessus de tout éloge. L'exactitude est décidément la politesse des poètes comme celle des rois.

—Madame, j'ai l'honneur de vous saluer.

—Monsieur de Mérigue, je vous apporte une agréable nouvelle. L'éditeur bien connu, Benjamin Rouault, de la rue Vivienne, publiera votre poème aussitôt que vous lui aurez fait l'honneur de le lui remettre. Le duc de Largeay, qui est fort lié avec lui, a voulu vous donner un témoignage de notre sympathie en arrangeant cette affaire. Vous avez l'air étonné?

—Très étonné, madame. L'éditeur sentimental et qui publie un ouvrage pour l'unique plaisir d'être agréable à quelqu'un est un phénomène pathologique dont j'ignorais l'existence. Je vous prie de bien vouloir transmettre au duc tous mes remerciements pour une démarche que je me réserve d'utiliser ou de ne point mettre à profit. Quoi qu'il en soit, je suis désolé que vous vous soyez dérangée pour une oeuvre que vous ne connaissez point, et pour un personnage qui n'a aucun titre à tenir une place quelconque dans vos préoccupations.

—Une place quelconque, dites-vous?...

—Quelconque... si petite qu'elle soit, je ne m'en estime pas digne.

—Qu'il est mal de railler ainsi, monsieur Jacques, quand à vous seul vous remplissez mon âme, quand vous savez... que je suis à vous.

—Il m'est absolument pénible d'entendre un pareil langage... indigne de moi comme de vous, plus que de vous.

—Et à moi, il m'est doux infiniment, de vous répéter que je vous aime; je rouvre ainsi une plaie cuisante, mais j'y verse un baume qui la parfume et qui l'endort. Oui, monsieur Jacques, oui, Jacques, je vous aime... entendez-vous, je vous aime.

—C'est un grand malheur, madame, vous ne pouvez m'aimer sans crime, je ne puis vous aimer sans lâcheté.

—Que dites-vous... de quoi parlez-vous... de crime, je crois... ai-je bien entendu!...

—De crime.

—Il y a un crime à chérir le seul être qui ait fait tressaillir mon âme depuis l'éveil de mes sens et de ma raison! Jusqu'au jour où je vous aperçus noyé dans l'ombre des chapelles, mes regards ne s'étaient arrêtés que sur des mannequins bien coiffés, bien habillés, bien gantés, affublés de toutes les élégances et de toutes les excentricités de la mode, et tous incapables de vibrer au plissement d'un sourire, à l'ébauche d'un geste, au feu d'un regard. Vous prétendez que j'aime des fantoches, que je m'assimile à des pupazzi... Vous avez aussi prononcé, je crois, le mot de lâcheté.

—Il ne s'adressait pas à vous, madame, je me le réservais à moi-même, pour le cas où j'aurais accepté l'offre de votre amour.

—Vous m'avez aimée, Jacques, vous m'aimez encore, ne cherchez pas à vous tromper vous-même. Votre coeur saigne comme le mien. Eh bien, pourquoi, je vous le demande, trouverez-vous lâche de changer une souffrance en joie, une amertume en ravissement? Vous avez su revêtir votre visage d'un masque dur et insensible, mais ce masque a l'épaisseur d'une gaze, et derrière ce vain simulacre, je vois briller un coeur tout plein de moi, où chaque goutte de sang reflète mon image, dont chaque battement répète mon nom.

—Je vous ai aimée, madame, je puis le dire sans honte, je vous l'ai prouvé, je vous l'ai répété, je vous ai offert ce coeur dont vous voulez vous emparer aujourd'hui, vous ne vous êtes pas contentée de le repousser, ce qui était votre droit, vous l'avez souffleté, pour avoir osé aspirer jusqu'à vous. Vous vouliez bien de moi comme d'un jouet qui vous amuse l'espace d'une heure, qu'on disloque et qu'on brise dès qu'il a cessé de plaire. En vertu de votre haute naissance, vous avez cru qu'il vous était permis de mettre la main sur un pauvre passant obscur qu'avaient ébloui vos charmes, et de l'attacher à vous comme une breloque ou un pendant d'oreilles. Et parce qu'un jour ce passant a eu l'audace de montrer une âme et de l'estimer à la hauteur de la vôtre, vous lui avez infligé avec le déshonneur de l'outrage, des supplices intimes dont vous ne connaîtrez jamais la cruauté et l'horreur.

—Que dites-vous, Jacques!... Vous souffrez... donc?... vous m'aimez?...

—Vous raisonnez mal, madame. La maladie est la route par où s'enfuit la vie, la torture que j'éprouve est la voie douloureuse par où s'écoulent pour jamais les dernières gouttes de mon amour. Certes, si je la niais, cette torture, vous auriez le droit de révoquer en doute ma sincérité, mais je ne mettrai pas mon point d'honneur à vous la dissimuler. La honte n'existe pas dans la douleur endurée avec courage, mais dans la barbarie qui vous livre aux griffes de cette douleur. Si vous pouvez trouver une satisfaction à savoir que vous m'avez donné un coup de poignard, soyez heureuse, madame.

—C'est vous, Jacques, qui me martyrisez en ce moment. Vous me le disiez tout à l'heure: Nous nous sommes aimés à première vue... nous étions faits l'un pour l'autre, l'invincible attraction qui existait entre nous était celle de deux êtres qui se cherchaient pour se compléter. Mais j'ai toujours considéré deux faces dans notre vie, à nous femmes du monde, la face publique, banale, officielle, écœurante, pleine de liens et d'obligations, et la face intime, secrète, seule existante et vraie, où le cœur se montre sans fard et sans maquillage, rouge de vrai sang, brûlant de chaleur vivante. J'ai laissé emporter ma vie extérieure au courant de mœurs et de coutumes que je n'avais pas créées, et j'ai gardé la possession pleine et entière de la meilleure partie de moi-même pour l'être futur qui saurait la découvrir. Est-ce que je ne vous ai pas conservé la bonne part? Est-ce que je ne vous ai pas livré le miel de la ruche, le suc de la fleur, la sève intime de l'arbre? Que vous importent la brèche apparente, l'enveloppe des tiges, la grossière écorce? Vous, poète, vibrant et palpitant à l'appel des voix mystérieuses, qui trouvez un sens au murmure du vent et au bruit des fontaines, pour qui la nature est un livre ouvert, qui lisez même au fond de nos âmes, à travers le cristal transparent des yeux, vous rechercheriez les vains oripeaux et les chiffons de soie qui éblouissent la multitude? Si vous saviez tout ce que j'ai creusé depuis un mois de pensées et de sentiments, depuis un mois où la plus haute portion de moi-même pleure dans le silence et dans la nuit! Vous êtes venu, Jacques, à cette fête éblouissante où il y avait dans l'église pour un million de pierreries, où toutes les splendeurs de l'autel s'étalaient en mon honneur, où les prêtres trompés par ma robe blanche ont prodigué des louanges à ma piété et à ma pureté... Eh bien! ce jour-là fut un jour mortuaire, c'était le *Dies iræ* que j'entendais mugir dans les grandes orgues, dès l'instant de mon mariage, ô Jacques! j'étais veuve.

—Vous êtes éminemment habile, madame la duchesse, à changer de place toutes les culpabilités.

Je ne sais si cela tient à ma pauvre origine, à mon existence en tout temps, humble, laborieuse, pénible, mais je ne saurais admettre le dédoublement de notre personne. Si j'aime, je veux pouvoir le dire à toute la terre. La vie est trop courte pour pouvoir en consacrer la moitié à des poses et à des parades. Au reste, je ne saurais m'attarder à discuter une subtilité. Vous avez trouvé mon amour trop inférieur et trop vulgaire pour l'avouer à la face du monde. Au lieu de voir un coeur tout embrasé de tendresse, vous avez pensé au sixième étage, au travail acharné qui gagne le pain, aux habits râpés, à la nourriture sèche et frugale. Vous n'avez pas seulement réfléchi à une chose, c'est qu'un pauvre habillé en duc pourrait avoir bonne mine, et qu'un duc habillé en pauvre pourrait sembler misérable et chétif. Vous vous êtes préoccupée de l'opinion de ces pantins et de ces automates dont vous me parliez tout à l'heure. Ils ont réglé vos choix et vos décisions, et, sur un signe de leur main, vous avez renié la plus belle partie de votre âme, pour employer votre langage. J'ai la conscience de n'avoir rien fait pour mériter cet outrage. Si j'ai quelque mémoire, je ne suis point allé chez vous de moi-même, vous m'avez attiré, choyé, caressé, vous m'avez laissé croire que j'occupais une place dans vos pensées. Or, mes principes d'honneur me la désignaient impérieusement, je vous ai fait connaître mes voeux et mes désirs, vous savez la réponse que vous m'avez faite. Elle est telle que tout l'amour que vous pourriez me prodiguer, tout le dévouement que vous déploieriez en ma faveur, tout le repentir même que vous essayeriez de me témoigner, n'effaceraient point dans mon souvenir l'écho méprisant de votre voix. Vous me parliez tout à l'heure de souffrances et de tortures. Voyez si les vôtres sont comparables aux miennes. Vous veniez de me dire: Je vous aime, et de me transporter des profondeurs de mon enfer aux plus hautes gloires de votre Paradis. Et au moment où j'étendais la main vers la couronne que vous m'aviez préparée, vous me précipitiez au fond des abîmes, impitoyablement, d'un coup de pied. Je puis pardonner la douleur infligée, je n'oublierai jamais l'affront...

—Je suis bien malheureuse. Je vous demande pardon...

—Je viens de vous répondre, madame, la trace de l'injure est ineffaçable. Auriez-vous tenté de la faire disparaître même avant de vous appeler la duchesse de Largeay que vous n'y seriez point parvenue. Votre fierté vous a poussée à l'insulte gratuite et inique, souffrez que la mienne m'enchaîne au juste ressentiment.

Nous aurions pu être heureux, madame, je le voulais passionnément, c'est vous qui avez refusé. Que pouvais-je faire? Que puis-je faire encore? Une seule chose: Oublier l'ivresse que vous m'avez un jour versée, me rappeler que je suis un homme, étouffer mon coeur et agiter mes bras.

—Cela ne peut être votre dernier mot, Jacques, je vous le dis encore: j'ai péché contre vous, je m'en humilie en votre présence. Voyez, je vous parle comme une pécheresse parlerait à Dieu, je m'attache désormais à votre vie comme un ange gardien et consolateur. Vous pouvez me repousser aujourd'hui, je reviendrai demain, après-demain, toujours. Je vous aime assez pour commettre ce que vous appelez un crime. Et vous me verrez à l'oeuvre à toute heure, à tout instant. Je bénis Dieu de vous avoir fait pauvre et dénué...

—Pardon, madame, je ne me suis jamais plaint à personne de ma pauvreté.

—Je vous dis que je bénis Dieu, parce qu'ainsi je pourrai, autrement que par des paroles...

—Assez, madame, assez. Vous aggravez les anciens opprobres...

—Je vous aimerai tellement que je vous forcerai à m'aimer.

—Ne me contraignez point à concevoir pour vous un autre sentiment dont le nom arrive sur mes lèvres...

Blanche pâlit horriblement, quant à Mérigue un tremblement involontaire agitait tous ses membres. L'amour et la fierté se livraient en lui un suprême combat.

—Adieu, dit la duchesse après un moment de silence, je vous pardonne à mon tour l'humiliation que vous m'infligez.

VIII

DIVERSION

Après son entretien avec la duchesse, Jacques était retombé dans toutes ses perplexités et dans toutes les amertumes de son âme. Le contentement qu'il ressentait de sa victoire s'effaçait rapidement sous l'impression croissante de ses regrets et de sa douleur. Dans la crainte où il se vit de succomber aux appels enchanteurs de la sirène qui avait juré de l'ensorceler, le poète prit immédiatement la résolution de se jeter sans plus tarder dans les tracas sans nombre et les travaux multiples résultant d'une candidature à la Chambre des députés. Il fit insérer le soir même une note dans les journaux et se rendit chez le président du comité royaliste. Cette assemblée venait d'être réorganisée sur des bases entièrement nouvelles. Les braves gens un peu vieux et un peu mous avaient été remplacés par des personnages plus jeunes, plus actifs et possédant une certaine habitude des choses politiques et parlementaires. Jacques espérait trouver auprès d'eux un accueil plus chaleureux et surtout plus effectif qu'auprès des vénérables bornes-fontaines qui lui avaient récemment donné leur appui moral assaisonné d'un petit blâme. Le président actuel du comité était un homme d'une soixantaine d'années qui avait rempli sous l'Empire d'importantes fonctions diplomatiques.

Fort bien de sa personne, possédant un visage très officiel, où ceux qui ne le connaissaient point s'imaginaient découvrir la plus auguste gravité, le baron d'Édelweis passait auprès de ses intimes pour un simple homme de plaisir. Il parlait avec aisance et volubilité, possédait une dose suffisante de bagou administratif et était surtout fort bien doué pour pratiquer de petites intrigues de couloir, sous un gouvernement parlementaire, paisible et bien établi. Derrière son attitude d'apparat, on sentait un viveur élégant et enjoué, aimable et galant, quand il en était besoin, impertinent par occasions. Sa physionomie, même dans les cas les plus solennels, reflétait toujours quelque arrière-pensée se rapportant à ses bonnes fortunes, dont la dernière assurément serait un petit fauteuil à l'Académie, parmi le groupe douceâtre des bénins et des inoffensifs. Un tel homme était peu fait pour accueillir le sincère et impétueux Mérigue, recommandé par sa valeur seule, sans la plus petite rente à la clef.

—Monsieur le président, je viens vous faire connaître mon intention de poser ma candidature dans notre arrondissement.

—Mais, monsieur, vous ne pouvez avoir la moindre intention sans avoir d'abord soumis vos vues au *critérium* du comité, répondit le baron avec un mouvement de tête légèrement dédaigneux.

—Je suis venu dans ce but, monsieur le président.

—Que désirez-vous, Monsieur?

—Votre appui, monsieur le président.

—Notre appui ne s'accorde pas ainsi à la légère. A quel titre venez-vous?... Je ne vous connais pas.

—Vous n'êtes pas sans avoir ouï parler de ma dernière candidature au Conseil municipal, qui a été appuyée par le comité alors en fonctions.

—Le comité d'aujourd'hui, monsieur, ne saurait, en aucune façon, être solidaire du comité d'hier.

—Aussi viens-je causer quelques instants avec vous pour faire connaissance et nous entendre.

—Le comité, Monsieur, n'a pas à s'entendre avec les candidats. Il délibère sous sa responsabilité à huis-clos et donne des ordres qui doivent être obéis sans contestation.

—Je n'ai pas l'intention de m'insurger ni de violer le secret de vos délibérations, je viens simplement me présenter à vous.

—Et qui vous dit, monsieur, que le comité n'a pas déjà fait son choix?

—Je vous serais reconnaissant de me l'apprendre.

—Comment l'entendez-vous? Est-ce une mise en demeure, monsieur?

—Non, monsieur, une question pure et simple. Si je dois être le candidat du comité, j'ai intérêt à le savoir promptement.

—Alors, monsieur, nous sommes obligés de prendre votre heure?

—Nullement, mais je ne suis pas tenu moi-même à attendre la vôtre; pour mener une campagne sérieuse, je dois connaître d'ores et déjà sur quelles ressources je puis compter.

A ces derniers mots de Mérigue, d'Édelweis eut un plissement de lèvres empreint d'un dédain suprême.

—Je vous entends, monsieur, vous venez demander des subsides?

—Certainement, je suis sans fortune.

—Et vous songez à briguer une candidature?

—J'ai déjà conduit une campagne électorale et non sans un certain éclat.

—J'aime à vous entendre, monsieur.

—Vous devez bien le savoir, monsieur le président.

—Voici que vous me questionnez, maintenant.

—Rassurez-vous, je ne suis pas plus Hernani que vous n'êtes l'empereur Charles-Quint.

—Vous avez un charmant esprit, monsieur.

—Non, j'ai simplement le désir de mettre mon activité et mon énergie au service de mes convictions.

—Vous n'êtes pas le seul, monsieur, et je dois vous dire sans plus tarder qu'à égalité de capacité et de dévouement, le comité ira au candidat pourvu d'une situation de fortune qui lui permette de solder tous les frais de son élection.

—Pardon, monsieur, mais s'il n'y a pas égalité de talent et d'énergie?

—C'est presque de l'outrecuidance, monsieur.

—Un instant, monsieur, le mot me paraît un peu gros.

—De la susceptibilité, maintenant. Elle est malséante, monsieur.

—Je vous prie, monsieur le président, de modifier cette expression qui me paraît inacceptable.

—Dois-je être à vos ordres, monsieur?... enfin, soit. Mettons présomption, si vous le daignez vouloir.

—Je daigne, monsieur.

—C'est bien heureux, monsieur.

—Concluons, monsieur.

—Bon, me voilà sur la sellette. Vous plairait-il de formuler vos désirs?

—Avez-vous lu mes conférences publiques?

—Si je devais passer mon temps à parcourir la jeune prose de tous nos Éliacins!

—C'est vrai, j'étais présomptueux... Le comité me donnera-t-il audience?

—Le comité, monsieur, n'a pas de temps à perdre.

—Je désirerais entretenir quelques-uns de vos collègues, monsieur, pour ne pas être jugé sans avoir plaidé ma cause.

—Inutile, monsieur, le comité, c'est moi.

Jacques prit congé sur cette parole en disant à part lui: «Va donc, eh Louis XIV!»

Puis sa résolution fut immédiatement prise. Il n'attendrait pas la signification des volontés toutes puissantes de l'olympien baron et se mettrait à l'oeuvre dès le lendemain. Les premiers frais seraient couverts par les cinq cents francs d'économies qu'il avait faites sur ses émoluments de la rue de Monceau. Le coeur lui saigna bien quelque peu, en sacrifiant ce petit trésor prédestiné dans sa pensée à venir en aide à ses chers parents. Il en écrivit à son père, qui répondit courrier par courrier:

«Mon cher Fils,

«D'abord le devoir et l'honneur. La restauration de nos vieilles murailles viendra ensuite. Va de l'avant sans hésiter; tu es la joie et l'honneur de ma vieillesse.»

«JOSEPH, COMTE DE MERIGUE.»

IX

UN MELON

Blanche savourait pendant ses longues solitudes l'amertume de son dernier échec. Elle n'avait pas d'autres pensées que de chercher de nouveaux moyens, de combiner de nouvelles attaques; sa fantaisie d'enfant gâtée et de jeune femme capricieuse allait prendre, en se voyant ainsi repoussée, les proportions d'une passion tragique. Quelques jeunes gens, voyant une aussi jolie personne presque entièrement délaissée par son mari, commençaient à papillonner autour d'elle, et parmi le groupe des soupirants se faisait remarquer entre tous un de ses cousins éloignés, élève à l'École-Militaire et qui se prévalait de sa vague parenté avec Blanche pour lui faire deux doigts de cour. Une cour gauche, naïve, timide, avec des intermèdes d'audace tenant du manque d'usage, et que la duchesse considérait avec une sensible indifférence.

Robert de Vaucotte était un assidu des dimanches. Tout son jour de sortie se passait aux soins divers de son petit béguin juvénile. Débarqué à dix heures et demie par le train spécial de la gare Montparnasse, il sautait immédiatement dans un «ver rongeur», nom symbolique des fiacres — et se faisait conduire en premier lieu chez une fleuriste en renom des boulevards. Il payait un louis une botte de roses thé et s'empressait de venir en faire hommage à la duchesse Blanche, qui le remerciait d'un air distrait, ne l'embrassait jamais et l'invitait régulièrement à déjeuner. Robert déclinait avec non moins de persévérance l'offre de sa cousine, pour ne pas se trouver en face du duc, qu'il regardait comme son rival avec le plus grand sérieux du monde. Il revenait à l'hôtel de Largeay vers quatre heures avec un sac de marrons ou de fondants. Blanche croquait les friandises, offrait à son cousin une tasse de thé et ne l'invitait jamais à dîner, ce qui plongeait le favori de Mars dans la plus noire des mélancolies, car il savait que la duchesse dînait presque toujours seule, et il voulait profiter, pour faire la déclaration de sa flamme belliqueuse, d'un de ces moments de laisser-aller et d'abandon qui se produisent après un repas plantureux, entre le café et le cigare. Un jour, il se lassa d'attendre l'occasion souhaitée qui ne se présentait jamais; il dit brusquement à Blanche, en interrompant l'absorption d'une tasse de thé:

—Savez-vous, ma chère petite cousine, que vous êtes une femme très «bahutée».

—Hein, bahutée? Connais pas.

—Oui, enfin, très ruffe, vous me comprenez bien. On dit très v'lan dans le civil!

—Bien obligée du compliment.

—J'avais hier les plus vives craintes au sujet de ma sortie d'aujourd'hui; il y avait eu «grand vent».

—Que veut dire cela, en langage civil?

—Fureur du cadre contre les recrues.

—Oh! mon pauvre melon... je ne connais que ce mot-là de votre dictionnaire.

—Et j'avais bien peur de ne pouvoir vous apporter ce soir mon petit sac de «cornard».

—Oh! je n'y suis plus du tout.

—Le «poireau» voulait me bloquer.

—Vous êtes hébraïsant, Robert.

—Pour avoir piqué un «laïus» aux «copains» pendant «l'amphi» du «Pendu».

—Nous arrivons au sanscrit, mon cousin.

—J'avais heureusement piqué le «maxi» au «pète-sec».

—Pour le coup, votre langage devient cunéiforme.

—C'est la seule matière où je sois «fana».

—Voulez-vous me faire l'amitié de me traduire ces hiéroglyphes parlés?

—En langage pékin... parfaitement. Je devais être en retenue pour avoir chahuté au cours de physique. Mes bonnes notes d'escrime et de gymnastique m'ont sauvé. Voilà ce que c'est que d'avoir «un poireau fana de pète-sec».

Oh! pardon! le poireau... c'est le clou... le calot... le patron... le général...

—Merci, Robert.

—J'aurais été d'autant plus désespéré de ce malheur que je voulais aujourd'hui vous dire combien je vous trouve gentille, combien je vous aime, je ne pense qu'à vous depuis que j'ai pris le crampton... Excusez, le train.

—Je vous suis infiniment reconnaissante, mon cousin, et je ne puis que vous répéter moi-même: Vous êtes très gentil et je vous aime beaucoup.

—Vous dites cela d'un air?...

—Tout à fait sincère, mon petit.

—Je ne dis pas, ma cousine, mais ça ne paraît pas bien profond, bien enraciné.

—Comment! vous doutez de mon amitié? C'est bien mal à vous, monsieur le militaire... je serais vraiment d'une ingratitude dans les couleurs les plus foncées, si l'aimable parent qui m'apporte des fleurs si embaumées et des marrons si glacés...

—Pardonnez, cousine... ce n'est pas votre amitié que je convoite... pas plus que votre estime.

—Comment l'entendez-vous, parlez-vous toujours votre petit charabias?

—Oh! non, ma cousine. Je parle pékin, bien pékin.

—Eh bien, qu'est-ce qu'il vous faut, mon petit panache bicolore?

—Blanche... il me faut... votre amour.

—Vous êtes fou, Robert!

—Oui, tout à fait fou... de vous!

—Si le duc vous entendait, mon pauvre gamin.

—Le duc... le duc. Je lui donnerais bien un bon coup d'épée.

—Vous tueriez mon mari. Mais vous êtes un ange, mon petit... ou plutôt un aimable garçon bien drôle, et bien risible. Tenez, je m'en donne à coeur joie, ne vous en formalisez pas.

Et Blanche, en prononçant ces derniers mots, partit d'un grand éclat de rire qui se prolongea pendant plusieurs minutes, et qui apporta une sorte de soulagement physique à l'oppression de son âme.

Robert de Vaucotte n'était pas content du tout de son premier assaut.

Il se voyait repoussé avec pertes et même quelque peu berné.

—Je vous promets de sortir dans «la basane»... la cavalerie... hasarda-t-il en guise d'argument suprême.

—Vous ferez bien, repartit Blanche d'un ton positif, cela vous facilitera un beau mariage!...

—Me marier, moi!... avec votre image dans le coeur. Plutôt aller me faire casser la tête au Tonkin. C'est par là que je finirai, si vous continuez à me repousser... à moins que sans courir chercher aussi loin le remède suprême à mon chagrin... je ne me fasse ici même sauter la cervelle à vos pieds!

—Impossible, faute d'objet, répliqua Blanche, toujours gouailleuse.

Ce scepticisme à l'endroit de ses résolutions tragiques fit sur Robert l'effet d'une douche d'eau froide. Il se retira en maugréant, honteux comme un dragon battu par une cantinière.

X

LA QUÊTE

Jacques de Mérigue prit la résolution de poser sa candidature d'une manière éclatante. Le nouveau comité qui se résumait et s'absorbait dans la personne du baron d'Édelweis lui était nettement hostile et préparait en catimini ce que l'on appelait «une grande candidature.» Il était dès lors convenu dans les cercles et les salons politiques de la droite monarchique, que l'on se compterait sur le nom d'un homme considérable par son nom, ses antécédents et sa position de fortune. On ne se préoccupait en aucune façon d'avoir un candidat actif et énergique. Le baron Grémoli déclina les offres qui lui furent faites. Il lui répugnait de lutter encore avec Mérigue pour lequel il ressentait une réelle sympathie. En outre, n'allant déjà point au Conseil municipal, il avait quelque vergogne de s'exposer à brûler également les séances de la Chambre. Il fut décidé que le grand candidat serait choisi à l'issue du solennel banquet royaliste fixé aux premiers jours de juillet. Toutes les notabilités de l'arrondissement y furent convoquées, et plus de deux cent cinquante personnes se trouvèrent entassées au jour dit, dans un entresol de la rue de Lille, où le célèbre restaurateur Paget leur servit un de ces délicats et somptueux festins dont il a seul le secret. Un grand nombre de discours furent prononcés: d'Édelweis parla le premier et insista sur la nécessité de la discipline dans les questions électorales. L'ancien président du comité, le Vidame du Merlerault exprima le désir de voir tous les suffrages des royalistes se porter sur un nom universellement connu et honoré; M. Rau, trésorier, parla de l'exiguïté des ressources de la caisse, et annonça une souscription. Le chevalier de Sainte-Gauburge célébra les vertus du roi, et le vicomte d'Escal exalta la piété de la reine. Jacques de Mérigue se leva le dernier, et démontra que le souverain ramènerait en France la paix, la prospérité, la liberté et l'honneur.

«Le roi, s'écria-t-il d'une voix retentissante, le roi c'est la paix. Ouvrons l'histoire contemporaine: la République fut tantôt la guerre extérieure à perpétuité, tantôt la discorde civile sans trêve ni merci. Quand aux Bourbons, ils ont toujours été avares du sang français. Ils n'ont jamais cherché dans les aventures, une gloire de lanterne magique. Henri IV fit le premier le noble rêve de la paix universelle.

169/240

Le plus fier de tous, Louis XIV, offrait en 1710 aux ennemis toutes ses richesses privées pour obtenir la paix à la France. Louis XV, après Fontenoy et Raucoux, sacrifiait à la paix l'orgueil de ses conquêtes. Louis XVIII, en 1815, refusait de s'allier avec l'Autriche pour poursuivre la lutte contre la Prusse et la Russie. Ils avaient sondé, ces monarques, l'océan des larmes maternelles. Chaque douleur d'un Français était une douleur de la royauté, aussi entendrons-nous le peuple redire le vieux cantique *Domine salvum fac regem*, Dieu sauvez le roi, qui, pareil à la colombe de l'arche, rentre en portant un rameau d'olivier. Le roi, c'est la prospérité, les ministres s'appellent Sully, Colbert, Turgot, Villèle; M. de Metternich, disait un jour «Il est heureux que la France fasse des révolutions.» Si elle avait gardé ses rois, elle serait assez riche pour acheter l'Europe. Le roi, c'est la liberté. Louis VI émancipa les communes; Saint Louis disait à son fils: «Vous maintiendrez les franchises et les libertés du peuple!» Philippe le Bel défend aux baillis d'envoyer les pauvres à l'armée; Louis XI ne veut pas qu'on élise pour maires les officiers de la couronne. Louis XII reçoit le titre de Père du peuple. Henri IV dit: «Je ne veux me bâtir une citadelle que dans le coeur de mes sujets.» Le roi, c'est l'honneur. Voyez donc les noms que la France a donné à ses monarques. Le Fort, le Hardi, le Bon, le Sage, le Lion, le Victorieux, le Juste, le Grand. Quelles oraisons funèbres faites, en un mot, par le peuple tout entier!

«Entendez-les retentir comme une haute fanfare à travers les échos des générations et des siècles. Mesurez la taille des ombres qui, à ces noms prononcés, soulèvent la pierre de leurs tombeaux. Et que notre dernière parole soit un cri d'espérance. Certes fussions-nous voués aux irréparables désastres, nous lutterions jusqu'à l'agonie, car notre sang est de celui qui a rougi la terre avec sa pourpre orgueilleuse aux cris héroïques de «Dieu le veut. Montjoie et Saint-Denis!»

«Mais la vague lueur qui nous environne n'est point un crépuscule mourant. C'est une aurore qui se lève: Royalistes, vous reverrez sourire la fortune. Cette noble maîtresse de nos aïeux se rappellera ses amours antiques, et son aile qui ombragea la tête des pères reviendra caresser le front des enfants.»

De hautes acclamations s'élevèrent. Les applaudissements durèrent trois minutes et le président lui-même se surprit à ébaucher des gestes d'approbation. Tous les membres du comité, d'Édelweis en tête, vinrent féliciter l'orateur. Une demi-heure après, tous s'accordaient avec la même unanimité à proclamer comme «grand candidat» M. Belin, jeune chimiste d'avenir. Jacques de Mérigue n'avait été défendu que par le duc de Largeay.

Le lendemain au déjeuner, l'époux de Blanche rendit compte à la jeune femme de l'insuccès de ses efforts. La duchesse haussa les épaules, et parut s'enfoncer en une méditation profonde. Quand son mari fut parti pour Zoé, elle prit un portefeuille enfermé dans un coffret de santal, revêtit la toilette la plus simple et la plus sombre, et se dirigea vers la rue des Saints-Pères. Elle ne parla point au concierge de Jacques. Il n'y avait qu'un escalier dans la maison, et les 120 marches du poète étaient légendaires. Blanche les monta résolument, et donna à la porte où s'étalait la carte du jeune homme, un violent coup de sonnette. Jacques n'avait jamais pensé que son ancienne idole eût l'audace d'en venir là. Il ne la reconnut point tout d'abord, grâce à l'obscurité complète de sa petite antichambre.

La duchesse salua légèrement, et s'avança sans relever sa voilette jusque dans la chambre de Mérigue.

—C'est encore moi, Jacques, dit-elle, en montrant son visage étincelant de hardiesse et de désir. J'ose espérer que vous ne me jetterez point par la fenêtre. On vous ferait une contravention... eh bien... vous ne dites rien. Gageons que vous ne m'attendiez pas.

Jacques, répondit d'une voix sourde et tremblante:

—Il est certain, madame, que vous me surprenez... il est non moins sûr que, s'il plaisait à M. le duc de Largeay de me rendre visite à cette heure, il serait plus surpris encore que moi-même... et presque aussi désagréablement.

Jacques prononça ces dernières paroles d'un ton étranglé, convulsif, qui démentait leur signification brutale.

—Oui, oui, c'est entendu! vous voulez toujours faire le méchant; mais vous n'arriverez nullement à décourager ceux qui vous veulent du bien. Vous faites le méchant, dis-je, mais vous ne l'êtes pas, et tous les efforts auxquels vous vous livrez pour paraître tel, n'ont qu'un effet: ils font ressortir la bonté de votre coeur et la tendresse de votre âme, et aussi, je dois bien l'ajouter, votre inénarrable orgueil.

—Puis-je vous demander, madame, où vous désirez en venir! Votre présence ici est plus qu'inconvenante, elle pourrait donner lieu à des soupçons graves que je n'ai jamais justifiés.

—Vous tenez essentiellement à fournir une édition nouvelle des amours de Joseph et de Mme Putiphar?

—Je n'ai point l'esprit à la plaisanterie, madame. Il est peu délicat de vous jouer d'un malheureux. Que voulez-vous?

—Ce que je veux, Jacques!... Je veux le prendre dans mes bras, ce malheureux dont vous parlez, je veux effacer jusqu'à la dernière trace de ses peines et de ses chagrins, je veux lui faire oublier tous les jours sombres de sa jeunesse, et le rendre le plus fortuné, le plus glorieux des hommes.

—De grâce, madame, ne raillez pas. Ne vous donnez pas la volupté de vanter à un aveugle les charmes du jour, à un mourant les délices de la vie. Je n'ai présentement qu'un désir: arracher de mon âme jusqu'au souvenir de votre nom.

—Vous me dites des choses pareilles, Jacques, et vous m'accusez d'être cruelle. C'est vous qui l'êtes pour moi et pour vous-même.

—Non, madame, je suis juste.

—Dites: souverainement inique... ingrat à un degré révoltant. Tenez encore, un mot bien en situation! avec tout votre esprit, et tout votre talent, vous êtes ridicule... non... Jacques... pardonnez-moi cette parole, c'est mon exaspération qui l'a prononcée.

—Je vous renouvelle ma première question. Où voulez-vous en venir?

—Ah! vous êtes par trop... simple.

—Vous pouvez faire défiler toutes les aménités de votre vocabulaire.

—Je suis venue... m'emparer de vous, et vous aimer.

—Je ne suis pas l'arbitre de vos sentiments. Pour ce qui me concerne, je vous jure que vous ne vous rendrez point maîtresse de moi, et que je ne vous aimerai... jamais!...

—Vous mentez, Jacques.

—Je n'ai jamais menti.

—Ne jouez donc pas sur les mots. Le coeur qui bat dans votre poitrine et qu'il me semble voir heurtant à coups précipités la prison qui l'enserre pour se révéler au grand jour, votre coeur dément tout bas l'impitoyable rigueur de vos paroles. Quel dommage qu'il soit muet. Mais patience, si vous le comprimez trop, ses sentiments intimes jailliront malgré vous, en frémissements, en soupirs, en cris peut-être, qui seront la condamnation de votre orgueil et le triomphe de mon amour.

—Jamais.

—Oh! j'ai le temps, monsieur de Mérigue, nous verrons bien qui se lassera le premier.

—Qu'est-ce à dire, madame?

—C'est-à-dire que je suis ici, et que je n'en sortirai que poussée par les épaules... ah! vous pouvez compléter la gracieuseté de votre réception. Frappez-moi, jetez-moi à terre, ce sera digne de vous... ou bien encore, tenez... allez chercher mon mari!

—Vous m'insultez, madame.

—Dites-lui que je veux le tromper et priez-le de venir me couper la gorge.

—Je ne réponds pas un accès de démence, je vous prie le plus respectueusement possible de vouloir bien abandonner vos projets, et me laisser à ma solitude.

—Vous me mettez à la porte, monsieur?

—En aucune façon, madame.

—Alors, je reste.

—En ce cas, il me sera peut-être permis de m'en aller.

—Jamais de la vie, c'est une grossièreté... vous injuriez une femme sans défense.. oh! ne m'irritez pas davantage, car je ne sais pas ce que je vous dirais.

—Ni moi non plus, madame, car vous m'avez tout dit.

—Quand cela, s'il vous plaît?

—Quand à la demande de votre main, que je vous fis au printemps dernier, vous répondîtes: «Je vais sonner mes gens pour vous faire reconduire.»

—Laissez donc cela, Jacques, c'était une colère d'enfant. Vous auriez dû en rire et ne pas vous emparer d'un mot échappé à une jeune fille interloquée, pour torturer sans pitié une femme qui vient se livrer à vous.

—Vous n'aviez nullement l'apparence d'une jeune fille vexée, madame, mais bien l'attitude d'une femme outragée. Si l'amour honnête et loyal que je vous offrais alors était une insulte, comment pourriez-vous donc qualifier celui que vous réclamez aujourd'hui, si je commettais l'indignité de tomber dans vos bras?

—Voyons, Jacques, reprit la duchesse après une pause de quelques instants, causons un peu, sans nous fâcher, et sans employer de grands mots. Vous savez ce qui se passe à propos de votre candidature?

—Oui, madame.

—Le Comité la repousse et vous préfère M. Belin.

—Je sais tout cela, madame. M. Belin est un homme de grand mérite.

—Vous n'avez eu pour vous que la voix du duc de Largeay.

—Je vous prie, madame, de vouloir bien lui transmettre l'expression de ma plus vive gratitude.

—Ce n'est pas la peine... il a agi d'après mes ordres. Vous voilà renseigné.

—Alors, madame, c'est vous que je remercie.

—Mais cela n'est rien, c'est une manifestation platonique.

—Je l'apprécie néanmoins.

—Alors vous persistez dans vos projets?

—Certes.

—Où trouverez-vous les cinq ou six mille francs qui vous sont nécessaires?

—Je n'ai que des ressources restreintes. Je ferai peu de publicité. Je suppléerai à ce qui manquera de ce côté-là par mon activité personnelle.

—C'est chimérique, vous échouerez. Que voulez-vous faire sans Comité et sans argent?

—J'ai le peuple avec moi.

—C'est insuffisant. Il vous faut un groupe d'amis haut placés et des fonds. Je suis en train de songer au groupe en question. Je sais que le due de Belverana consentira à le présider. Quant aux trois cents louis qui vous sont indispensables... eh bien, Jacques, les voilà!

Et la duchesse Blanche ouvrit brusquement le portefeuille dont elle s'était munie, et l'étala grand ouvert sur la table du poète.

Mérigue, foudroyé, recula jusqu'à la fenêtre. Puis, à la pensée de cette femme qui venait acheter son amour et lui en lancer d'avance le prix à la face en billets de banque, il sentit bouillonner en son âme la plus épouvantable des colères.

Saisissant le portefeuille de la main droite et la duchesse de la main gauche, il jeta au front de Blanche la liasse de banknotes qui tarifait son déshonneur. Puis, confus de cet acte de violence, il tomba sur une chaise et prit sa tête dans ses mains. La duchesse, d'abord terrifiée, n'eut pas un geste, pas un cri. Elle demeura un instant immobile, puis un sourire affreux vint illuminer sa figure pâle. Elle reprit ses trente deniers et sortit lentement.

Arrivée au seuil de la chambre, Blanche dit d'une voix saccadée: «A revoir, monsieur», et referma sur elle la première porte. Puis, avisant une vieille jaquette suspendue à un porte-manteau, elle glissa dans une des poches un billet de mille francs:

— Ah! orgueilleux exécrable, murmurait-elle en descendant le long escalier, tu m'as deux fois vaincue, tu me soufflettes aujourd'hui. A moi la dernière manche!

XI

LES ANGOISSES DE M. GILET

La duchesse de Largeay, en quittant la rue des Saints-Pères, se rendit droit au bureau du commissaire de police. Elle demanda à parler à M. le commissaire en personne et, sur le vu de sa carte, on l'introduisit immédiatement dans la pièce la plus retirée du commissariat où se tenait M. Gilet. Le magistrat, qui à toutes ses autres qualités joignait une éducation parfaite, se leva respectueusement, salua avec déférence son illustre visiteuse et lui indiqua d'un geste plein d'urbanité le fauteuil de velours vert situé à la gauche de son bureau. Avec son flair habituel, M. Gilet vit dans le visage crispé et bouleversé de la duchesse qu'il devait s'agir d'une question grave.

—Madame la duchesse, fit-il avec une inclination de tête, je désire vivement que ce ne soit pas une triste communication qui me vaille l'honneur de votre visite.

—Hélas! monsieur le commissaire, nous ne dirigeons pas les événements, nous les subissons; ce que j'ai à vous confier dépasse tout ce que l'imagination peut concevoir. C'est à croire que je rêve et que je me trouve sous l'impression d'un hideux cauchemar.

—Veuillez vous remettre, madame la duchesse, j'occupe une position où je reçois tous les jours de bien terribles confidences, et je vous avouerai que, malheureusement, rien au monde ne saurait m'étonner.

—Vous avez, sans aucun doute, entendu parler de M. Jacques de Mérigue, candidat aux dernières élections municipales?

—Assurément, madame la duchesse.

—Jeune homme d'avenir, plein de talent et d'énergie, doué de facultés oratoires tout à fait remarquables!

—Je sais tout cela, madame la duchesse.

—Eh bien! monsieur le commissaire, ce que vous ne savez pas, ce dont vous ne sauriez vous douter, ce que vous aurez peine à croire, ce qui m'anéantit et me confond... Oh! non! c'est impossible... infâme... inimaginable...

—Achevez, madame.

—M. de Mérigue... est... un misérable... un...

—De grâce, madame, achevez.

—Un... un voleur!

M. Gilet bondit sur son siège. Il s'attendait au récit de quelque tentative de séduction et voilà qu'il se trouvait en présence du plus vil, du plus ignoble de tous les crimes.

Et commis par qui? Par un jeune homme, qu'il jugeait à tous les points de vue d'une nature supérieure, qu'il estimait, qu'il aimait, qui lui avait sauvé la vie. Blanche aperçut bien vite sur le visage du commissaire les traces d'une stupéfaction douloureuse; après quelques secondes de silence, M. Gilet reprit la parole:

—Veuillez m'exposer, madame, les circonstances qui ont accompagné l'acte délictueux auquel vous faites allusion.

—Très volontiers. Je suis venue pour cela. Je faisais une quête à domicile pour les pauvres de M. l'abbé de la Gloire-Dieu. J'avais prévenu par lettre les personnes auxquelles je comptais demander une offrande. M. de Mérigue était du nombre. Au moment même où j'entrais chez lui, il a avisé mon portefeuille d'un coup d'oeil rapide et a beaucoup insisté pour m'en débarrasser. A peine l'a-t-il eu déposé sur sa table qu'il s'est mis à parler avec une grande volubilité. Au moment où il a cru mon attention détournée, il m'a subtilisé assez adroitement un billet de mille francs. Vous savez, qu'il est candidat et n'a pas un sou. J'ai paru ne m'être aperçue de rien et j'arrive tout droit chez vous, monsieur le commissaire, pour vous prier d'agir immédiatement et de saisir le corps du délit avant que le coupable ait eu le temps de le faire disparaître.

M. Gilet avait appuyé son front sur sa main gauche et fermé un instant les yeux. Lui aussi se croyait en proie à un mauvais rêve.

—Eh bien! monsieur, poursuivit Blanche, vous attendiez-vous à cela? Vous que rien n'étonne, êtes-vous un peu surpris à cette heure?

—Je suis affligé, madame. Je ferai mon devoir; veuillez me dicter votre déposition et la revêtir de votre signature.

Pendant que, dévorée d'une affreuse soif de vengeance, la duchesse Blanche était en train de perdre celui qu'elle aimait pour le châtier de sa résistance inébranlable et de l'affront qu'il venait de lui infliger, le baron de Sermèze causait avec Jacques, auquel il apportait des renseignements électoraux. Le baron avait trouvé son ami sous le coup d'une émotion mal dissimulée, et attribuait cet état aux craintes que Jacques pouvait concevoir sur l'issue de la campagne engagée.

—Tu as absolument tort de t'inquiéter, mon cher, je t'apporte les meilleures nouvelles.

—Tu es bien aimable.

—J'ai fait avec plusieurs personnes fort entendues un pointage des plus rigoureux, et je vais te communiquer le résultat de cette opération. Évidemment, tu ne comptes pas sur la voix de M. d'Édelweis.

—Je n'y compte pas.

—Écoute-moi bien. Il y a vingt mille électeurs inscrits dans l'arrondissement. Il n'y a jamais eu plus de quatorze mille votants. Les républicains réuniront six mille voix environ au grand maximum. Restent huit mille conservateurs de toutes nuances. Tu auras contre toi la majorité des grandes familles, leurs gens et leurs fournisseurs. Presque tout le peuple marchera avec toi. Or, en bonne arithmétique, la classe populaire est plus nombreuse que la classe privilégiée. En mettant les choses au pire, remporteras au moins de cinq cents voix sur M. Belin, et il se produira un ballottage. M. Belin est un honnête et galant homme, il ne peut faire autrement que de se désister en ta faveur, et te voilà en chemin pour l'empire des étoiles.

—Tu as peut-être raison, cher ami. J'ai bien besoin de quelques compensations de ce côté-là... Je suis bien malheureux.

—Bah, elle est mariée maintenant. Tu n'as jamais voulu en faire ta maîtresse. Il faut donc absolument te consoler de l'envolement d'une chimère, et mettre toutes tes forces à conquérir la situation positive et brillante vers laquelle tu tends. Après ta réussite, toutes les belles héritières afflueront vers toi: tu n'auras que l'embarras du choix.

—Ah! puisses-tu dire vrai!... Comme ma pauvre famille serait heureuse... Pauvre vieux père! Chère bonne mère. Mignonnes et douces petites soeurs!

Comme Jacques achevait ces mots, un coup de sonnette retentissait à sa porte. C'était le commissaire de police; M. Gilet, après avoir reçu la plainte de Blanche, s'était immédiatement dirigé sur la rue des Saints-Pères.

Par égard pour l'homme qu'il allait interroger, il avait tenu à paraître seul et sans le cortège habituel de son secrétaire. Chemin faisant, il songeait à la pénible mission qu'il avait à remplir, mais il se consolait en se disant:

—Ce n'est pas possible, la duchesse est folle, tous s'éclaircira.

Il ne put s'empêcher de tendre la main à Jacques et pria poliment le baron de Sermèze de vouloir bien se retirer pendant quelques minutes. Sermèze pris congé de son ami en lui disant: «A ce soir, mon vieux, et bon courage.»

—Monsieur de Mérigue, excusez-moi de vous déranger. Il y a parfois des devoirs à remplir qui vous feraient souhaiter de vous briser bras et jambes. Du reste, je suis certain d'avance que les explications que vous allez me fournir réduiront ma mission au plaisir de vous avoir vu.

—Parlez, monsieur le commissaire.

—Eh bien, monsieur, je vous avouerai que la duchesse de Largeay me semble avoir perdu l'esprit.

Mérigue fronça vivement le sourcil et ce mouvement de physionomie n'échappa point au policier qui poursuivit:

—Cette dame vous accuse de lui avoir... excusez-moi un million de fois d'employer un mot pareil... de lui avoir... volé mille francs... ici... tout à l'heure.

Jacques partit d'un grand éclat de rire sonore et convulsif.

—Que dites-vous de cette inculpation, monsieur? ajouta le commissaire.

—Je dis, répondit Mérigue, que vous avez raison, la duchesse est montée dans le rapide de Charenton.

—A la bonne heure... Vous l'avez vue tantôt, n'est-ce pas?

—Parfaitement, monsieur.

—Ici... dans votre domicile?

—Rien de plus exact.

—Elle venait pour une quête, m'a-t-elle dit.

Jacques hésita une seconde et vit qu'il n'y avait pas moyen de répondre négativement.

—Oui, monsieur le commissaire, répliqua-t-il avec un soupir d'épuisement et d'énervement.

—Je suis obligé de faire une perquisition, continua M. Gilet. Je vous en demande pardon, mais comme cette formalité est indispensable et tournera du reste à la confusion de la plaignante, j'espère que vous daignerez ne pas m'en vouloir.

—Ah! vous pouvez fouiller et bouleverser; tout l'argent que je possède est dans ce tiroir. Il y a tout juste six cents francs en or, produit de mes économies sur mes émoluments de répétiteur.

Le commissaire constata l'assertion de l'inculpé et obtint de lui l'assurance qu'il n'était point sorti depuis la visite de la duchesse.

—C'est bien, dit le magistrat, je crois que je puis interrompre ma besogne, et vous demander simplement ce qui s'est passé entre vous et Mme de Largeay!

—Je ne l'entends pas ainsi, Monsieur le commissaire. Je n'ai point à redire notre conversation. La duchesse m'a accusé d'un fait précis. Poursuivez le cours de vos constatations. Ce ne sera du reste pas bien long. Mes meubles ne sont pas nombreux et je vais vous aider dans votre travail.

Je puis vous certifier que vous trouverez plus de grains de poussière et de toiles d'araignées que de billets de mille.

Sur les instances de Jacques, M. Gilet continua ses opérations de recherche, le lit fut tourné et retourné, tous les tiroirs de la commode et de la table minutieusement visités, tous les livres scrupuleusement ouverts et feuilletés, Mérigue vida ses poches malgré les gestes du commissaire qui se déclarait suffisamment édifié. Puis, ouvrant la porte de l'antichambre: Il y a encore là au porte-manteau, dit-il, une vieille défroque qui date de l'époque de mon baccalauréat, si vous désirez en examiner les poches et en sonder les doublures?

Machinalement, M. Gilet mit une main dans la poche la plus apparente de la guenille abandonnée et dit aussitôt:

—Vous y avez laissé un papier.

—Je ne crois pas, Monsieur le commissaire.

—Tenez le voilà! Ah! mon Dieu. Ah! mon Dieu. Ah! mon Dieu... un billet... un billet de mille.

Le commissaire tremblant et abasourdi tenait le billet dans sa main défaillante.

Jacques s'approcha vivement, vérifia le fait horrible, et en quelques secondes sonda l'immense scélératesse de la femme humiliée qui se vengeait. Il revint à sa table de travail, pencha sa tête sur ses bras croisés et vit alors dans une sorte d'hallucination funèbre le prodigieux écroulement de sa renommée et de sa fortune. Il n'avait pas songé un instant à exposer la réalité des faits. Ses nobles instincts de gentilhomme, unis à l'élévation de son âme, l'avaient averti qu'il ne pouvait, même pour sauver son honneur, perdre une femme autrefois aimée. Si quelque chose pouvait être plus colossal que l'infamie de son accusatrice, c'était assurément la prodigieuse grandeur du sacrifice qu'il allait accomplir. Évidemment il nierait jusqu'à la mort le fait odieux qui lui était imputé, mais rien dans ses moindres paroles ne laisserait transpirer une parcelle quelconque de la vérité. M. Gilet épuisé d'émotions s'était assis et courbait la tête. Le billet de banque lui avait échappé et étalait ses dessins bleus sur le parquet. Jacques fut le premier à reprendre la parole.

— Monsieur le commissaire, dit-il d'une voix brisée, je n'ai pas volé cette somme d'argent. Veuillez vous contenter de cette négation d'un honnête homme. Je me refuse à vous faire connaître quoi que ce soit au sujet de mon entretien avec la duchesse de Largeay. Toutes les apparences sont contre moi, je n'essaie pas de me le dissimuler. Faites votre rapport sur les choses que vous avez vues, relatez-les fidèlement et prenez les conclusions que vous dictera votre conscience.

— Mais, Monsieur, reprit le fonctionnaire avec des larmes dans la voix, si vous ne voulez pas entrer dans la voie des explications, en présence de ce qui se passe, je ne puis conclure qu'à votre arrestation.

— Vous me croyez un voleur, Monsieur Gilet?

— Dieu m'est témoin, Monsieur, que je vous estime et que je vous admire et que... je vous aime comme mon sauveur... et c'est pour cela que je vous supplie, que je vous conjure, au nom de votre famille, de votre honneur, de votre parti dont vous arborez le drapeau, du Dieu de justice auquel nous croyons tous deux, de vouloir bien m'avouer toute la vérité.

— Jamais, Monsieur le commissaire, c'est dit.

— Je vous le répète, Monsieur de Mérigue, je vous crois innocent comme je crois que le soleil existe, mais je serai le seul de mon avis... voyons... vous avez eu peut-être avec la duchesse... des relations...

— Assez, Monsieur.

—Des relations, d'une nature...

—Assez, vous dis-je, arrêtez-moi, et taisez-vous.

M. Gilet tomba aux genoux de Mérigue. D'abondantes larmes s'échappèrent de ses yeux si peu accoutumés à en verser et de profonds sanglots soulevèrent sa poitrine où personne n'avait jamais soupçonné un coeur.

—Je vous en supplie, Monsieur de Mérigue.

—C'est inutile, répondit Jacques violemment ému, mais encore plus exaspéré par l'insistance de son interlocuteur.

—Monsieur Jacques... Monsieur Jacques, au nom de ma vie qui vous appartient puisque vous l'avez sauvée, ayez pitié de moi; admettez-vous que vous devant l'air que je respire et la lumière que je vois je devienne aujourd'hui le bourreau de votre honneur?

—Relevez-vous, Monsieur le commissaire, les sentiments que vous manifestez vous élèvent et vous glorifient; aussi, soyez en bien persuadé, quoi qu'il puisse arriver, je ne vous en voudrai pas. Ma résolution est irrévocable, et croyez bien que si elle devait céder à une considération quelconque, ce serait à la douleur de l'honnête et brave homme que vous êtes: Donnez-moi la main, Monsieur Gilet.

Le commissaire serra fièvreusement la main que lui tendait le poète. Puis il lui dit: Promettez-moi au moins de passer la frontière cette nuit. Je retarderai jusqu'à demain l'envoi de mon rapport à la préfecture de police. Fuyez, fuyez, vous en avez le temps. Partez ce soir même pour la Belgique, demain ce ne serait plus possible.

—Jamais, Monsieur, ce serait avouer que je suis coupable!

XII

LE LECTEUR DE LA DUCHESSE

De retour à l'hôtel de Largeay, Blanche fut saisie tout à coup d'un violent désir de posséder Jacques. Son animosité contre lui n'était point calmée, mais le souvenir de la scène qui venait de se passer, le tableau de l'homme qu'elle admirait s'élançant sur elle, la saisissant d'une main terrible et la frappant au visage, ce tableau se reproduisant en son imagination avec une puissance étrange, excita dans l'âme et dans les sens de la duchesse, une attraction irraisonnée et invincible vers celui qui depuis deux mois remplissait toutes les aspirations de sa vie. Elle répéta à son mari sèchement et brièvement le récit qu'elle avait fait dans le cabinet du commissaire et Largeay lui répondit:

—Ma chère amie, je ne puis guère vous dire que tant pis pour vous. Ce que vous auriez de mieux à faire serait une bonne fois de renoncer à votre rôle de Rédemptrice des Damnés. Ce que je vois de plus regrettable en tout cela, est le ridicule qui va me couvrir quand l'affaire aura transpiré dans le public. Vous vous rappelez en effet que sur vos instances j'ai soutenu à moi seul la candidature Mérigue contre tous les membres du Comité. On me traitera de serin et de gogo, toutes épithètes, qui seraient mieux appliquées... à d'autres, mais que je serai obligé d'accepter sous peine de paraître plus... jobard encore. Je me consolerais parfaitement de cette mésaventure, si elle vous décidait à ne voir que des gens de notre monde. Dieu merci, il n'en manque pas... quand vous en seriez réduite à la société du petit cousin de Saint-Cyr qui se contente d'une tasse de thé et est un garçon très convenable, cela vaudrait mieux que de courir après les deshérités de la fortune pour rencontrer des escarpes et des brigands.

De toute l'admonestation maritale, Blanche n'avait retenu qu'une phrase, celle où il était fait allusion à Robert de Vaucotte, et sa pensée, faute de mieux, se mit à errer machinalement et sans grand enthousiasme autour des épaulettes et du panache dont s'enorgueillissait le jeune Saint-Cyrien. Elle le trouvait bien fade ce pauvre cousin, si prévenant, et si attentionné, et la perspective de se consoler avec la conversation et la compagnie si «bahutée» du melon n'était point capable de lui faire oublier ses soucis et ses chagrins. Tout à coup elle porta rapidement sa main à son front comme pour saisir au vol le passage d'une idée lumineuse: elle saisit son block notes et traça au galop les lignes suivantes:

«Mon cher Robert,

«Je dîne seule demain soir dimanche. Vous seriez bien aimable de venir me tenir compagnie. Vous resterez avec moi jusqu'à l'heure de votre Crampton; j'espère que vous n'avez pas d'autres projets. Je serais désolée de vous priver d'une distraction pour m'en procurer une autre à moi-même. Je vous attends donc sans cérémonie.

«Votre cousine,

«BLANCHE.»

Le nourrisson de Mars fut transporté au quatorzième ciel à la lecture de cette missive. Il en sauta de joie, s'en frotta les mains, jeta un coup d'oeil plein d'orgueil légitime sur sa tunique bleue et sur son pantalon rouge, et brandit même son sabre d'apprenti cavalier. Il fut d'une sagesse exemplaire au cours du «Pendu» et se surpassa lui-même comme «fana» «du pète sec». Il embrassa à plusieurs reprises l'épître odorante où s'étalaient les pattes de mouche de la duchesse et ne put s'empêcher de montrer les dites pattes à quelques amis intimes qui le traitèrent de rude veinard. Puis il répondit à son estimable parente:

«Bien chère cousine,

«Le moment où j'ai reçu votre lettre comptera certainement parmi les plus heureux de mon existence et ne pourra se comparer qu'à l'instant prochain j'espère où je revêtirai d'une façon définitive l'uniforme du cavalier. Dîner avec vous... en tête à tête dans votre hôtel... ah! cousine de combien de sacs de cornard ne vous serais-je pas redevable? Vous ajoutez à votre invitation que vous espérez bien ne pas me voir occupé ailleurs. Quelles obligations, quels rendez-vous, quelles parties fines, quelles réunions au Café de la Paix, chez Peters ou chez Durand, seraient capables de me retenir quand vous avez parlé! quel coeur de pierre ne faudrait-il pas me supposer pour croire que sur un geste de vous je ne renverrais pas promener tous les «copains» avec le bahut par-dessus le marché. Adieu, ma chère cousine.

«Recevez dès à présent mes remerciements sincères pour votre amabilité et croyez que demain sera le plus beau jour de ma vie.

«ROBERT».

—Comme son sabre! dit Blanche en achevant la lecture de cette lettre embrasée!... Diable! il est emballé le petit futur dragon... Va-t-il être ennuyeux! bruyant... vulgaire! Va-t-il me couvrir de fleurs et me combler de «cornards». Sera-t-il seulement capable de me procurer un atome d'illusion!

Le dimanche convenu, à six heures et demie, Robert se présentait au grand salon de l'hôtel de Largeay. Il avait revêtu un petit uniforme de fantaisie d'un drap plus fin et mieux taillé que ses effets d'ordonnance. La première parole de Blanche fut une rebuffade inattendue.

—Comment Robert! En soldat? Vous n'avez donc pas d'habit civil? Est-ce qu'on se présente pour dîner dans le monde en costume de piou-piou. Quand vous serez officier passe encore, mais vous, un simple melon? où donc avez-vous été élevé.

—Je vous demande humblement pardon, répondit le pauvre Saint-Cyrien tout ébaubi et avec des larmes dans les yeux. C'est un ordre du général.

—Qui vous oblige à porter des costumes de fantaisie, n'est-ce pas.

A d'autres, mon petit. Il est six heures et demie. Votre «Crampton» de retour ne part qu'à dix heures. Nous aurons tout le temps de dîner et même de causer un brin de sept et demie à neuf et demie.

—Vous avez raison, ma cousine.

—Laissez-moi donc finir ma phrase, Monsieur le trop pressé. Vous allez retourner chez vous tout de suite, prendre votre habit et votre cravate blanche...

—Ah! que je suis malheureux, ma cousine... mon habit est en réparation...

—Petit maladroit, vous ne pouviez pas songer à cela hier au lieu de passer votre temps à m'écrire des fadaises... cela ne fait rien... vous êtes à peu près de la taille de mon mari. Le valet de chambre va vous conduire chez lui et vous mettrez un frac, un pantalon et une cravate. Est-ce compris!

—Je vous obéis, chère cousine. Veuillez m'excuser encore!

—Paroles oiseuses... mon cousin... allez et revenez vite.

Blanche sonna; un laquais polychrome apparut:

—Conduisez sur le champ M. le comte de Vaucotte aux appartements de M. le duc, et prévenez le valet de chambre, commanda la duchesse d'un ton sec et impérieux.

Au bout d'une demi-heure, Robert entra au salon en costume convenable. Blanche le toisa minutieusement.

—Vous avez les cheveux trop courts... et pas assez de moustaches, lui dit-elle, et puis vous n'êtes pas tout à fait assez grand ni assez fort... enfin vous n'y pouvez rien.

Robert, abasourdi, commençait à croire à une mystification. Il fut confirmé dans cette opinion douloureuse par l'attitude que garda la duchesse tout le temps du dîner. On le plaça en face de Blanche, et une nuée de gens de service ne cessa de papillonner autour de la table, rendant impossible le plus vague échange des moindres intimités. Quant à la duchesse elle-même, elle fut d'un bout à l'autre du repas absolument distraite et comme absorbée dans ses pensées. Elle ne répondait que par des oui, des non, des peut-être, des oh! vraiment, des vous croyez? à toutes les phrases héroïquement élaborées et timidement hasardées par le futur cavalier. Au reste, ce supplice ne dura pas longtemps, et au bout de vingt-cinq minutes on apporta les bols bleus dont Robert n'osa point user. Puis les deux cousins passèrent au salon où le café et les liqueurs attendaient.

—Ma cousine, soupira le Saint-Cyrien, voudriez-vous me permettre de griller une sèche... pardon, de fumer une cigarette?

—Ah! non, mon ami, pas aujourd'hui je vous en supplie. Je vous ai mandé non seulement pour le plaisir de vous avoir à dîner, mais aussi pour que vous me fassiez un bout de lecture... Cela vous va-t-il?

—Du moment que j'obéis à vos ordres, répondit Robert d'une voix lamentable, mais résignée.

—Savez-vous déclamer un peu?

—J'ai joué la comédie au collège.

—Ah! très bien. C'est la première chose sensée que vous me dites. Avez-vous une voix un peu vibrante?

—Vibrante, ma cousine?

—Ah! c'est juste, vous ne comprenez pas ces mots-là, vous autres, malgré vos trompettes et vos clairons.

—Vous voulez dire peut-être une voix forte?

—C'est à peu près cela, je vous fais grâce de la nuance.

—Mais oui, ma cousine, si vous m'entendiez commander «par le flanc gauche!» J'ai une poitrine un peu «bahutée».

—Troubadour, va! Enfin, c'est bien, vous allez donc me servir de lecteur!

—Je suis à votre disposition.

—Prenez cette brochure bleue qui est sur la table.

—Voilà, ma cousine.

—Lisez-moi le titre, s'il vous plaît.

—«La République ennemie du Peuple, conférence faite à la salle de l'Agriculture, 84, rue de Grenelle, Paris, par M. Jacques de Mérigue».

—C'est bien cela. Lisez.

Robert commença.

—Prenez une voix moins saccadée et plus moelleuse. Il ne s'agit pas de flanc gauche, ici.

Robert s'efforça de se conformer aux indications de sa cousine et poursuivit sa lecture. La duchesse fit un geste qui signifiait: «C'est à peu près cela!» Puis elle alla sur la pointe du pied vers les deux lampes qu'elle baissa peu à peu jusqu'à produire une très vague pénombre. Robert s'arrêta en disant: «Ma cousine, je crois que les lampes vont charbonner.»

—Allez donc, petit sot, répliqua Blanche vexée, allez donc!

Et Robert continua. Blanche poussa alors une chaise derrière le fauteuil du jeune homme et s'y agenouilla; puis elle posa ses deux mains sur les épaules du Saint-Cyrien qui suspendit encore sa lecture, pris cette fois d'un tremblement de bonheur: «Allez, allez, s'écria la duchesse très rudement».

Robert obéit. Son étrange cousine se mit alors à approcher insensiblement la tête en murmurant à voix très basse: «Que vous êtes beau! que je vous aime!» Le lecteur improvisé n'osa point interrompre sa tâche, mais sa voix devint palpitante et troublée. Tout d'un coup, il s'arrêta brusquement: Un divin baiser venait d'effleurer sa joue.

—Allez donc, allez donc! rugit Blanche d'une voix haletante et rauque qui contrastait étrangement avec la douceur de ses caresses.

Vaucotte se résigna en se résolvant, quoi qu'il pût arriver, à ne plus suspendre sa lecture. Il prit sa voix la plus théâtrale possible et, sous l'influence des émotions qui l'agitaient, lut presque très bien le morceau suivant:

«Le Titan qui a nom la France a été frappé de la foudre, il n'est pas mort, mais le Jupiter sinistre d'un Olympe brumeux lui a mutilé les membres et l'a couché sous d'énormes montagnes. Que peuvent faire, hélas! pour soulever un poids incommensurable, le courage et la musculature du géant tombé? Soyez patients, donnez du temps au vaincu: Ses mains peu à peu guéries et fortifiées creuseront les flancs de Pélion et d'Ossa, un jour il émergera du gouffre, si vigoureux et si beau que l'ennemi s'inclinera, et le vieux captif rajeuni, plus radieux qu'autrefois sous ses cicatrices lumineuses, reprendra, fier et doux, sa place antique parmi les Dieux!»

—Oh! mon bien aimé, mon amour adoré, soupira Blanche, que tu es beau, que tu es grand, et, entourant Robert de ses deux bras, elle le couvrit de baisers en fermant les yeux. Cette fois le Saint-Cyrien n'y tint plus; il laissa tomber la brochure bleue et voulut enlacer la taille de Blanche. Mais la duchesse, après quelques secondes d'abandon, s'arracha aux étreintes de son cousin en lui disant rageusement: «Ah! vous êtes décidément insupportable, vous pouvez vous en aller!»

—Plaît-il! ma cousine, hasarda Robert avec une angoisse profonde.

—Je vous répète que vous êtes intolérable, vous ne faites rien de ce que je vous dis. Il est inutile de continuer plus longtemps.

—Ah! ma chère Blanche, répondit le futur cavalier. Vos paroles me brisent le coeur. Disposez de moi comme vous l'entendrez. Ordonnez-moi de manquer le «crampton». Consigne, salle de police, prison, cellule, conseil de guerre, je braverai tout pour demeurer à vos genoux... Je vais prendre ma meilleure voix, je vous ferai la lecture jusqu'à onze heures, minuit, deux heures du matin... jusqu'au lever du soleil, et encore toute la journée, et encore toute la nuit. Mais de grâce ne vous fâchez pas, ne vous irritez pas, la faveur que j'implore de vous est bien simple: «Commandez-moi de poursuivre.»

Blanche, qui avait relevé les lampes, se contenta de dire sèchement: «C'est fini.»

—Par grâce, ma cousine...

—Assez, vous êtes sot, mon cher.

Un silence suivit. Robert se résigna et dit à Blanche:

—Me permettez-vous au moins de rester jusqu'à neuf heures et demie?

—Comme il vous plaira.

—Vous ne m'en voulez pas, ma petite cousine?

—Non... vous m'ennuyez.

—Je vous promets de ne pas m'interrompre une autre fois. Je prendrai des leçons de déclamation si vous le voulez?

Blanche ne répondant point, Vaucotte voulut mettre sur le tapis un autre sujet de conversation.

—Qu'est-ce que ce M. de Mérigue, ma cousine?

—Une canaille qui m'a volé mille francs.

—Le misérable! Je le tuerai, je le tuerai!

—Ce n'est pas nécessaire.

—Comment! voler une adorable cousine comme vous. Je vous dis que c'est un homme mort... Je manquerai le «Crampton», cela m'est égal, mais j'aurai sa vie.

—Allez vous déshabiller, répondit Blanche.

Robert s'élança vers les appartements du duc où gisaient ses défroques militaires. Pendant cette deuxième toilette, Blanche songeait, avec un sourire amer mêlé de haussements d'épaules, au Mérigue idéal qu'elle avait étreint dans la personne de son cousin, revêtu des nippes de son mari. Quant à Vaucotte, il faisait un vacarme épouvantable au premier étage et rugissait en agitant son sabre vierge: «Je le tuerai. Je le tuerai!»

XIII

LE DUC DE BELVERANA

Une heure après le départ du commissaire, le baron de Sermèze accourait de nouveau chez son ami.

—Bonne, très bonne nouvelle, cria-t-il en entrant. Tu seras énergiquement appuyé par le duc de Belverana.

—Eh bien! mon pauvre Sermèze, j'ai quant à moi une nouvelle d'un tout autre genre à t'annoncer.

—Ayant trait à la visite du commissaire?

—Précisément.

—Que te voulait donc ce corbeau sinistre?

—Ne le traite pas ainsi. C'est un esprit droit et un noble coeur... Je ne plaisante pas.

—Eh bien, mon ami, je t'écoute. Je serai charmé, je l'avoue, rien que pour la rareté du fait, d'apprendre que les qualificatifs dont tu te sers peuvent être justement appliqués à un fonctionnaire d'espèce peu sympathique.

—D'abord, je te demande la discrétion d'un confesseur.

—D'un tombeau, si tu le désires.

—Foi de gentilhomme?

—D'accord.

—Je considère mon honneur comme attaché à ton silence.

—Bien, va donc.

—La duchesse de Largeay m'aime. Elle n'a pas voulu de moi pour mari, je la repousse comme maîtresse. Furieuse de ma résistance, à l'issue d'une scène violente où j'ai eu le tort de me laisser emporter, elle a glissé un billet de banque dans la veste qui est à mon porte-manteau et à été m'accuser de vol. Je ne puis me défendre sans la compromettre. Je me laisse condamner. Est-ce clair?

—Tu es absolument fou et je crois que tu veux me mystifier.

—En aucune façon.

—Ah ça, Jacques, tu t'imagines que je vais te laisser sauter à la mer avec une pierre au cou?

—Que pourras-tu faire, mon bon ami?

—Tout révéler à la justice.

—Halte-là. J'ai ta parole d'honneur.

—Ah! tu perds la boule, mon ami?

—J'ai ton serment, j'exige que tu le tiennes.

—Comment cela?

—S'il le faut l'épée à la main... Toi... le meilleur, le plus cher de mes amis... Je...

—Jacques... tu aimes cette femme?

—La question n'est pas là.

—Je te dis que tu l'aimes!

—Je la méprise. J'en jure sur mon âme.

—Tu la méprises... mais tu l'aimes?

—Que t'importe!

—Tu n'es pas gentil, mon petit Jacques.

—Ce qui est certain, c'est que j'aime ma dignité, ma conscience, mon honneur au point de leur sacrifier la considération des hommes.

—Et moi je t'aime au point de te sauver malgré toi.

—N'essaie pas, tu nous perdrais tous deux. Merci de la bonne affection, et pardonne-moi ma vivacité de tout à l'heure, mais ma résolution ne saurait changer.

—Je ne te revois de ma vie si tu commets cet acte insensé. Je ne puis rester l'ami d'un homme condamné pour vol.

—J'ai réfléchi à tout cela, Sermèze... j'ai calculé toutes les conséquences de mon abnégation, mais je l'avoue bien franchement... que je n'aurais pas cru à ton abandon. Ce serait la dernière et la pire des croix que l'impitoyable Destinée pût jeter sur mes épaules... eh bien, je l'accepte.

—Oh! mon ami, mon cher Jacques... as-tu pu croire un instant que je m'éloignerais jamais de toi?...

—Non, certes... C'est pour te dire que rien ne saurait me faire reculer. Tu entends?... Rien au monde.

—Et ton vieux père, ta pauvre mère... Voyons, Jacques.

—Ah! démon, ne me tente pas... jamais.

—Tu veux les condamner à un deuil éternel.

—Je veux que leur fils reste un honnête homme.

—Mais enfin, tu n'as consulté personne, tu ne peux, en une question aussi grave, t'ériger en juge unique et infaillible... Tu ne veux pas t'en rapporter à mon opinion?

—Tu m'aimes trop.

—J'ai une idée... Promets-moi de prendre l'avis de la personne que je vais te désigner?

—Cela dépend, mon ami.

—Le duc de Belverana.

—D'accord, Sermèze. Je connais d'avance sa réponse.

—Enfin on ne peut pas savoir... As-tu pleine confiance en ses appréciations sur une question d'honneur?

—Pleine et entière confiance.

—Et crois-tu aussi à sa discrétion?

—Comme j'espère en la tienne.

—Va le voir... à ce prix je ne dirai rien.

—C'est conclu, j'irai demain matin, à moins que je ne sois arrêté d'ici là.

—Sauve-toi donc d'ici, grand maladroit.

—Un innocent ne prend point la fuite.

—Don Quichotte, va!...

Le lendemain, vers dix heures, Jacques de Mérigue se rendit à l'hôtel de Belverana et fut introduit immédiatement dans le cabinet du chef de l'aristocratie française.

Le duc François de Belverana était la figure la plus sympathique et la plus justement honorée de la grande noblesse. Il joignait à l'esprit et à l'affabilité du XVIIIe siècle, le caractère chevaleresque de ses ancêtres du moyen âge. Il excellait, chose rare entre toutes, à allier ses obligations d'homme du monde à ses travaux d'homme de devoir. Magnifique dans ses réceptions, généreux à l'excès dans ses charités, d'une urbanité exquise dans tous ses rapports sociaux, époux et père de famille irréprochable, doué avec cela des grandes manières et du grand air presque disparus à notre époque démocratique, portant sur son visage et dans toute son attitude les allures de ces vieilles races faites pour commander et pour charmer les hommes, le duc François était bien le chef unanimement accepté par cette pléiade de familles illustres qui furent jadis la force et la gloire de notre patrie, et qui en sont demeurées l'ornement et la splendeur.

Il serait souverainement inique de juger le grand monde par les quelques échantillons apparus jusqu'ici dans ce livre. Les Largeay, les Prunière, les Saint-Benest étaient de rares exceptions dans une société universellement et justement respectée. On a dit que les peuples heureux n'avaient pas d'histoire, on pourrait ajouter que les personnes vertueuses ne sauraient figurer qu'en petit nombre dans l'exposition, drames de la vie contemporaine. Quel que soit le milieu qu'on soit appelé à décrire, on est fatalement amené à faire une place très exiguë aux gens entièrement dignes de considération et d'estime.

—Monsieur le duc, dit Jacques de Mérigue avec lenteur et gravité, je viens prendre votre sentiment au sujet d'une question d'honneur dont je vous constitue juge en dernier ressort.

L'aimable visage du duc revêtit aussitôt une expression inquiète.

—Je ferai ce que vous voudrez, monsieur de Mérigue, mais je vous prie de ne vous considérer lié en aucune façon par ma manière de voir. Je suis loin de prétendre à l'infaillibilité, et j'estime qu'un homme dans ma situation ne doit pas assumer à la légère d'inutiles responsabilités.

—Monsieur, je ne vous ferai pas l'injure de vous demander le secret sur ma communication. J'ai simplement l'honneur de vous avertir que ce secret doit être absolu et perpétuel.

—Vous n'aviez pas besoin, monsieur, de cette précaution, c'était entendu par avance.

Mérigue fit alors à son noble interlocuteur le récit fidèle et minutieux des événements qui avaient abouti à la catastrophe récente et lui annonça ses intentions en lui demandant de les approuver. Profondément ému, le duc de Belverana resta muet pendant quelques minutes. Comment décourager une résolution héroïque? Comment, d'un autre côté, prononcer sans appel la perte et la ruine absolue d'un honnête homme? Il répondit enfin:

—Vous m'avez constitué juge, monsieur?...

—Je ne m'en dédis point.

—Cette déclaration entraîne par avance votre complète soumission à mon arbitrage?

Ces mots firent pâlir Mérigue qui sut y lire très clairement l'immense pitié qu'il inspirait. Il ne put cependant s'empêcher de dire:

—Oui, monsieur le duc.

Mais il ajouta:

—J'ai confiance en vous comme en Bayard ou en Duguesclin, comme dans le Roi chevalier dont votre ancêtre fut le parrain.

Une cruelle angoisse s'empara du duc François.

—Aimez-vous encore cette femme, monsieur de Mérigue? demanda-t-il.

—Mais, monsieur le duc...

—Je ne suis plus monsieur le duc, je suis votre juge... je dois tout savoir avant de prononcer ma sentence. Je me récuse si vous ne parlez pas. Aimez-vous encore cette femme?

—Je suis attaché par-dessus toutes choses à l'accomplissement de mon devoir.

—Il n'y aurait devoir que si vous aimiez encore.

—Alors, monsieur le duc, vous êtes de mon avis.

Le duc fit un violent effort sur lui-même. Des larmes vinrent au bord de ses paupières. Puis il se leva et ouvrit ses bras à Mérigue en lui disant:

—Vous avez raison.

—Merci!... cria Jacques. J'en étais bien sûr.

—Mais à une condition, reprit le duc. Vous devez, tout en gardant le silence au sujet des événements qui ont eu lieu, vous devez, dis-je, nier énergiquement l'action infâme qui vous est imputée...

—Cela va sans dire.

—Ce n'est pas tout... vous serez vraisemblablement condamné avec un pareil système de défense.

—Je m'y attends absolument.

—Eh bien, monsieur, en reconnaissance du pénible service que je viens de vous rendre, je vous demande expressément de vous présenter à l'une de mes réceptions qui suivra le jugement de l'affaire. J'irai à votre rencontre devant tout le monde et bien osé sera l'homme qui ne viendra pas vous serrer la main.

—Je vous remercie, monsieur, je n'attendais pas moins de vous, mais je ne puis compromettre le chef du parti royaliste. Il me suffira de savoir que je garde votre estime.

—Mon admiration, monsieur de Mérigue, mon admiration. Nous ramènerions le roi et nous reprendrions l'Alsace avec mille Français comme vous.

Jacques courut immédiatement chez son ami Sermèze pour lui annoncer la décision du noble arbitre mis en avant par le baron lui-même. Sermèze voulut le retenir à déjeuner.

—Non, lui répondit Mérigue, on pourrait venir m'arrêter pendant ce temps là, et je serais désolé qu'on ne trouvât personne.

—Don Quichotte! Don Quichotte! murmurait le baron avec des sanglots dans la gorge. Pourquoi la Providence t'a-t-elle fait naître au siècle des Prudhommes et des argentiers...

De retour à son domicile Mérigue écrivit à son père:

«Mon bien cher Père,

«Je suis faussement accusé d'un délit, et de malheureuses circonstances m'enlèvent tout autre moyen de défense qu'une négation sans commentaires.

«Supportez comme moi ce nouveau coup de la fortune et surtout croyez invinciblement que votre enfant est resté digne de vous.

«JACQUES.»

Mérigue, après avoir mis cette lettre à la poste, rentra chez lui pour liquider toutes les questions relatives à sa candidature. Il travailla jusqu'à une heure assez avancée de la soirée pour faire connaître à ses principaux amis et partisans qu'il se retirait purement et simplement. Il fit une note exacte des dépenses engagées jusqu'à ce jour et indiqua d'une façon minutieuse les divers créanciers auxquels il était redevable de la moindre somme.

Puis, toutes choses étant réglées, il se croisa les bras et attendit la justice. Son imagination surexcitée s'égara longtemps parmi les étoiles, sa perpétuelle chimère, qu'il venait d'approcher et qui s'éloignaient sans retour. Et d'un coup d'oeil douloureux et morne, il put mesurer l'étroit espace qui sépare un siège à la Chambre de l'escabeau d'une prison. Puis, sa pensée se reporta tout à coup en Limousin, dans son Mérigue bien-aimé, au milieu de sa famille dont il était le soutien et l'espoir.

Seulement alors il pleura.

A neuf heures et demie du soir un coup formidable retentit à sa porte: Bon! se dit-il, mon lit est prêt à Mazas. C'est bien. Et il alla ouvrir.

—Le comte Robert de Vaucotte, élève à l'école militaire, candidat cavalier, dit une jeune voix qui voulait s'enfler au niveau de la foudre.

Mérigue salua légèrement et introduisit son visiteur.

—Je parle, poursuivit Robert, à monsieur Jacques de Mérigue?

—Vous avez cet avantage, monsieur, ou cette mauvaise chance, comme il vous plaira.

—L'un et l'autre, monsieur. Je suis le cousin de la duchesse de Largeay et vous devez comprendre le but de ma visite.

—Pas du tout, monsieur, je vous assure.

—Il paraît que vous l'avez volée, monsieur.

—Et ensuite, monsieur?

—Je viens vous demander raison de cet acte infâme.

—Tiens, dit Mérigue en regardant le plafond, la note grotesque manquait au drame... c'est complet maintenant... le dernier acte doit approcher.

—Vous m'insultez, monsieur, si vous savez tenir une épée et si vous avez du sang dans les veines...

—Vous, monsieur le candidat cavalier, si vous aviez un atome de bon sens dans la tête, vous n'auriez pas pris la peine considérable de monter mes six étages. Si j'ai volé madame la duchesse, vous devez savoir qu'on ne se bat pas avec un voleur. Si je ne l'ai pas volée, que venez-vous faire ici. Dans les deux cas vous êtes, permettez-moi le mot, un tout petit peu ridicule.

—Monsieur!!!

—Oui, monsieur! De plus vous êtes en danger de manquer votre train, ce qui vous attirerait une punition sévère et compromettrait peut-être votre candidature à la cavalerie. Croyez-moi: une candidature est chose fragile. Dépêchez-vous bien vite de redescendre mes cent vingt marches. Vous trouverez une station de voitures au coin de la place Saint-Germain-des-Prés. Filez. Il n'est que temps.

—Monsieur, nous nous reverrons.

—C'est improbable. Filez donc, vous dis-je.

Passablement stupéfait, Robert se retira.

—C'est curieux, murmurait-il dans l'escalier. Il ne me prend pas plus au sérieux que ma cousine.

XIV

MAZAS

Le lendemain, Jacques reçut la lettre suivante:

«Monsieur,

«J'ai appris avec la plus vive douleur que vous n'aviez point profité du retard que j'avais apporté à l'expédition de mon rapport. Il est vraisemblable que vous serez arrêté dans la journée, mais, en tout cas, ce ne sera pas moi qui porterai la main sur vous. Je vous jure, monsieur, que j'ai pensé un instant à mourir, mais, en outre du déshonneur qui s'attache généralement au suicide, j'ai songé au peu d'utilité qu'auraient pour vous les éclats de la cervelle du pauvre Gilet. J'ai trouvé un moyen de mieux vous témoigner ma reconnaissance qui survivra à tous les événements et à toutes les décisions de la justice. Je viens d'adresser ma démission à la Préfecture et ma résolution est irrévocable. Vous devez savoir que le président du tribunal peut autoriser un inculpé à faire présenter sa défense par un de ses parents ou amis. Je brigue l'honneur de plaider pour vous, monsieur, et j'espère bien m'inscrire le premier sur la liste de tous les hommes de coeur qui ne manqueront pas de vous offrir le concours de leur talent. Je vous supplie de vouloir bien accepter ce témoignage de dévoûment d'un homme qui vous doit la vie et qui n'a jamais douté de votre innocence.

«ANSELME GILET.»

Jacques répondit immédiatement:

«De tout coeur, Monsieur, mais à une condition: Les avocats ont la coutume toute naturelle d'interroger leurs clients sur les circonstances qui ont accompagné l'acte soumis à l'appréciation des tribunaux. Force m'est de vous prévenir que dans le cas particulier qui me concerne, je ne pourrai me soumettre à cet usage et que vous devrez prendre la parole sans aucun nouvel éclaircissement de ma part, sur la simple donnée des faits et en vous appuyant seulement sur l'opinion de votre conscience. C'est une tâche bien ingrate que je vous impose. Je vous prie de l'accepter telle quelle, puisque vous voulez bien vous charger de mes intérêts.

«JACQUES DE MÉRIGUE.»

A la réception de cette lettre, M. Gilet crut devoir faire une démarche auprès de la duchesse et se rendit à l'hôtel de Largeay. Quoique vivement contrariée à l'annonce de ce visiteur, Blanche ne crut pas pouvoir lui refuser sa porte.

—Monsieur le commissaire? dit-elle en l'apercevant.

—Non, madame, monsieur Gilet, avocat de M. Jacques de Mérigue.

Blanche tressaillit et resta muette.

—Madame la duchesse, vous savez que le devoir d'un défenseur est de s'entourer de tous les renseignements propres à lui faciliter l'accomplissement de sa mission. Je ne puis obtenir aucun détail de M. de Mérigue. Il nie. Voilà tout.

—Cela ne m'étonne pas, monsieur, dit Blanche avec une expression de stupéfaction profonde que M. Gilet ne s'expliqua point.

La duchesse n'avait pas un instant conçu la possibilité de la sublime abnégation de Jacques.

Elle pensait qu'il déclarerait simplement la vérité, mais que l'invraisemblance de ses allégations ferait hausser les épaules aux magistrats instructeurs. Maintenant, elle voyait la grandeur de la victime qu'elle immolait, et la colère qui dominait son âme fit une légère place au premier cortège des remords.

M. Gilet reprit:

«Quant à moi, madame, je suis absolument abasourdi et désorienté. Je suis tellement convaincu de l'innocence de M. de Mérigue que je me dérobe par une démission envoyée aujourd'hui même à la tâche qui m'incombait d'opérer son arrestation. J'ai rempli mes devoirs de magistrat en faisant parvenir mon rapport sur les faits constatés aux autorités compétentes; je crois accomplir maintenant mes obligations d'honnête homme en prêtant mon concours au sympathique prévenu. Ma première pensée a été de venir chercher ici les renseignements qu'on me refusait là-bas.»

—Monsieur l'avocat, j'ai tout dit l'autre jour à M. le commissaire, répondit Blanche avec amertume; comme vous pouvez le voir à toute heure, je vous engage à l'interroger. Je vous trouve osé de mettre en balance les négations de M. de Mérigue et les affirmations de la duchesse de Largeay.

M. Gilet comprit que son audience était terminée. Il salua la duchesse en lui disant:

—Je vous affirme sur l'honneur, madame, que je n'établis aucun parallèle entre la valeur de vos deux paroles.

Blanche avait un plan de vengeance absolument défini. Elle comptait sur la condamnation de Jacques et se promettait ensuite de demander sa grâce, avec la conviction intime qu'elle lui serait accordée. L'obtention de la grâce serait, en même temps, un acte d'humanité et une marque suprême de dédain. La duchesse estimait aussi vaguement qu'après avoir brisé l'homme, après en avoir fait un lépreux et un pestiféré moral, elle pourrait peut-être triompher de ses résistances et conquérir ses caresses, sinon son amour, quand elle serait seule à lui tendre la main, parmi l'universel dédain. Elle se promettait pour lors de lui venir en aide, de le contraindre à accepter son appui, et ces vagues projets de bienfaisance, après son horrible faux témoignage, calmaient à ce moment les cris de sa conscience, encore étreinte par la fureur.

Le soir même, vers cinq heures, deux agents de la sûreté se présentaient au domicile de Jacques, porteurs d'un mandat de comparution délivré par le juge d'instruction.

Le baron de Sermèze avait voulu assister son ami dans cette terrible épreuve et il l'accompagna jusqu'à la porte du Palais-de-Justice. Mérigue fut conduit par les gardes dans le cabinet du magistrat chargé de l'information qui s'efforça vainement, pendant plus d'une heure, d'obtenir des détails sur le fait du vol. Jacques demeurait identiquement ce qu'il avait été devant le commissaire.

Il nia l'imputation et se refusa à tout autre renseignement.

Le juge d'instruction convertit alors le mandat de comparution en mandat de dépôt, et le candidat royaliste fut conduit et écroué sur le champ à la prison de Mazas.

On criait à huit heures sur le boulevard:

—Demandez l'*Écho de Paris*. Les royalistes sont des voleurs. Arrestation de Mérigue, candidat royaliste: cinq centimes, un sou. Voir les curieux détails; l'arrestation du coupable, un sou.

Le lendemain matin, on lisait dans une grande feuille républicaine:

«Les réactionnaires n'ont pas de chance. Un de leurs plus brillants candidats, sur lequel ils fondaient de grandes espérances, vient de s'échouer aux bancs de la police correctionnelle, sous l'inculpation hideuse de vol. Nous regrettons vivement que ce scandale ait éclaté quelques semaines trop tôt. Le sieur Mérigue avait, dit-on, les plus sérieuses chances d'être élu dans l'arrondissement le plus aristocratique de la capitale. Pas dégoûtés, messieurs les ci-devant! Il eût été piquant de voir arracher des bancs de la Chambre le coryphée du drapeau blanc. Cette satisfaction nous est refusée. Mais nous avons le ferme espoir que cet accroc subi par un des Éliacins du parti rétrograde éclairera la population saine et impartiale de l'arrondissement en question, et que le candidat républicain ralliera autour de son nom tous les suffrages indépendants et honnêtes.»

Le principal organe des conservateurs se défendait allègrement en jetant l'accusé par-dessus bord avant toute décision de la justice: «Ce n'est pas d'aujourd'hui que les meilleurs troupeaux sont infestés de brebis galeuses, et cela ne prouve rien, sinon que les règles les mieux établies sont toujours confirmées par des exceptions. Nous nous permettons, en outre, de faire observer à nos adversaires politiques que le comité actuel s'est refusé à soutenir la candidature de l'homme qui vient de s'effondrer. Il se présentait aux suffrages des électeurs de son autorité privée, comme le dernier des pensionnaires de l'Assistance publique aurait le droit de se présenter demain, s'il pouvait faire les frais nécessaires à une apposition d'affiches. Le sieur Mérigue n'avait aucune chance dans sa lutte contre M. Belin, qui réunira certainement la majorité des suffrages au premier tour. Le seul effet du krack Mérigue sera de nous épargner un scrutin de ballottage.»

Au comité, le baron d'Édelweis se fit voter des félicitations pour avoir combattu dès l'abord la candidature Mérigue. L'ordre du jour visait sa prévoyance et son flair pratique et le vieux beau souriait dans sa longue barbe et remerciait la destinée d'avoir confirmé les appréhensions qu'il n'avait jamais eues. De tous côtés, on chercha querelle au vicomte d'Escal qui avait enfanté un misérable à la vie politique. D'Escal repoussa tant bien que mal les attaques, en rejetant toute la responsabilité sur les membres de l'ancien comité, et en faisant remarquer qu'il n'avait pas voulu s'associer à la nouvelle campagne du candidat prisonnier.

Le duc de Largeay était fortement battu en brèche et répondait: «Prenez-vous en à ma femme!» Et les bonnes âmes de s'écrier: «Oh! l'ingrat; voler sa bienfaitrice!» On fut très fortement scandalisé de voir le duc de Belverana prendre la défense de l'inculpé, et on attribua cette attitude à sa répugnance d'avouer une erreur. Les abbés Vaublanc, Roubley et Marquiset rompirent des lances terribles avec l'abbé de la Gloire-Dieu, qui s'obstinait à nier la possibilité du crime. «Voyez ce saint homme, disaient ses confrères, il jeûne au pain et à l'eau et n'avoue pas qu'il puisse se tromper!»

Des altercations se produisirent dans plusieurs cafés, dans quelques foyers de théâtre, dans deux ou trois clubs à la mode. Le baron de Sermèze administra à lui seul une demi-douzaine de soufflets qui, chose étrange, ne furent pas suivis d'effusion de sang ni d'éclats de poudre. Il est vrai que le baron tirait l'épée comme un spadassin et faisait mouche neuf fois sur dix à vingt-cinq pas au pistolet de combat. Robert de Vaucotte se vanta d'avoir provoqué Mérigue et de l'avoir fait *caler doux*. Théodore de Vannes se glorifia hautement d'avoir combattu la première candidature de Jacques. Le R.P. Coupessay, supérieur des Oratoriens de la rue de Monceau, se hâta de signifier un congé immédiat au jeune professeur, qu'il avait appelé «notre grand Jacques» et qui n'était plus que «ce triste Mérigue».

La comtesse douairière de Vannes se demanda avec stupeur comment ce vilain homme avait pu être une cause si fréquente d'interruption pour sa broderie. Le coup de pied de l'âne fut envoyé à la victime par sa femme de ménage, l'altière Hortense, qui déclara par écrit donner ses huit jours à monsieur.

La fatale nouvelle était parvenue au repaire noble de Mérigue vingt-quatre heures après l'annonce de l'arrestation sur les boulevards. Violemment ému par la lettre de son fils, le vieux comte avait été complètement écrasé par l'entrefilet du journal conservateur qu'il recevait, et qui était conçu en ces termes: «M. de Mérigue, le candidat royaliste bien connu, vient d'être écroué à Mazas sous l'inculpation de vol. Nous attendons, pour apprécier ce triste événement, les décisions de la justice.»

Le vieux comte Joseph ne communiqua à sa femme ni la lettre ni le journal. Il emporta l'une et l'autre et s'enfonça dans la profondeur des bois. Caroline s'étant mise à sa recherche le découvrit au bout de plusieurs heures, embrassant un gros chêne dans ses bras, et la poitrine gonflée de sanglots. Il fallut que le chef de la famille se décidât à tout avouer et à montrer les quelques lignes de son fils, et le terrible alinéa de la feuille publique. Caroline, sans parler, entraîna son mari vers l'oratoire où elle passait en prières la plus grande partie de ses journées. Les deux époux y demeurèrent longtemps inclinés et prosternés aux pieds du Dieu sévère, qui permettait à la Destinée d'empoisonner ainsi leur vieillesse. Au repas du soir, on fit connaître aux trois soeurs l'effroyable accusation qui pesait sur leur frère bien-aimé. Jacqueline éclata en pleurs, mêlés d'un rire nerveux.

—Mon petit Jacques, qui doit ramener le Roi, dit-elle, un voleur! je ne croirai jamais cela.

—Quelle infamie! s'écria l'ardente Mathilde, ce sont tous les misérables communards de Paris qui l'ont accusé pour s'en débarrasser; cela ne peut pas s'expliquer autrement.

—Certainement; notre frère ne peut être coupable, reprenait la sage Marianne, mais en pareille matière le plus simple soupçon est déjà une catastrophe. Quelle que soit l'issue de l'accusation, Jacques ne pourra demeurer à Paris. Sa carrière, qui s'annonçait fort avantageuse, est définitivement brisée. Nous n'avons donc plus à compter sur aucune ressource de son côté. Il faut songer au contraire à le recevoir ici, et à l'y soigner de notre mieux.

—Comment, répliqua Jacqueline, tu crois qu'il ne se relèvera pas? Il s'était bien relevé de son échec au Conseil municipal, puisqu'il allait être nommé député.

—Jacqueline a raison, dirent à la fois Mathilde et le vieux comte.

—Rien n'est impossible avec le secours de la providence divine, affirma Caroline. Il faut faire violence au ciel par nos instances et nos supplications.

—Il faut d'abord, reprit Marianne, interrompre toutes les réparations que nous avons commencées, et prendre le plus tôt possible des arrangements pour solder les dépenses déjà faites.

—Que dis-tu là, ma fille! interrompit Joseph de Mérigue; et mes vignes, qui me donneront un jour deux cents barriques de vin; et ma truffière, que je suppose devoir être en plein rapport d'ici deux ans.

—Et notre frère bien-aimé qui triomphera des méchancetés et des calomnies! dit énergiquement Jacqueline.

A ce moment Pierrille et Jeannette arrivèrent pour la prière du soir:

Il faudra bien prier pour Monsieur Jacques, dit la pieuse Caroline d'une voix triste et lente.

—Notre Monsieur est malade? demandèrent à la fois les deux domestiques.

—Non, mes amis, répondit Caroline qui ne savait pas mentir.

Alors les fidèles serviteurs eurent la claire intuition d'un grand malheur planant dans l'air. Leurs visages fatigués prirent une expression de lourde tristesse, et ils pleurèrent silencieusement en s'agenouillant sur les dalles.

XV

L'INFLUENCE DU COMMISSAIRE

A la sixième chambre on avait rarement vu un pareil encombrement. Depuis les plus jolies comtesses des deux faubourgs jusqu'aux reporters des moindres feuilles, en passant par la nuée des avocats et des simples stagiaires, le public habituel des représentations judiciaires se trouvait au grand complet. La partie de l'auditoire dont la curiosité se trouvait le plus vivement surexcitée, était naturellement l'éternel féminin. Toutes les jeunes femmes un peu à la mode s'étaient exténuées d'amabilité envers le président pour obtenir des cartes, et pouvoir contempler le visage de ce prévenu dont on parlait tant, et que les gazettes dépeignaient comme possédant toutes les qualités d'aspect, d'allures, qui séduisent et conquièrent le sexe faible. Deux hommes émargeaient au sein de cette foule hétérogène: Mérigue et son défenseur. Jacques, entièrement vêtu de noir, l'oeil fier, la tête haute, le visage grave et légèrement mélancolique, avait plutôt l'air d'un accusateur que d'un inculpé. Debout à ses côtés, Monsieur Gilet, la figure contractée, les yeux hagards, la figure pâle, semblait en proie à une insurmontable émotion. Ce qu'il y avait de plus à remarquer était l'absence de la duchesse. Elle avait prévenu par lettre le président, qu'étant très souffrante, il lui serait impossible de paraître aux débats, qu'au surplus elle n'avait rien à ajouter au rapport de M. le commissaire et à sa propre déposition revêtue de sa signature.

L'interrogatoire fut excessivement court. Mérigue déclina ses noms et qualités, nia péremptoirement le vol, et refusa de répondre à toutes les questions subséquentes qui lui furent adressées. L'audition des témoins ne fut pas non plus bien longue. Lecture fut donnée de la déclaration de la duchesse, après quoi l'on dut passer aux témoins à décharge. Quelques amis de Mérigue, entre autres le baron de Sermèze, apportèrent à la barre l'éloge du prévenu, et détaillèrent ses antécédents de travail, d'économie, de constante probité. La tâche du procureur de la République n'était pas bien difficile en présence d'un prévenu qui persistait à se renfermer dans un silence inexplicable. Le réquisitoire rendit hommage à la vie antérieure de Jacques, et réédita cette rengaine vieille comme la Basoche: «Un criminel est honnête homme jusqu'au moment où il accomplit son crime.» L'organe du Parquet ne réclama pas, du reste, une bien grande rigueur, et s'en remit complètement aux juges sur la durée de la peine à infliger. Mais il réclama l'emprisonnement, la notoriété récente dont jouissait l'inculpé nécessitant plutôt la sévérité que l'indulgence. Le représentant du ministère public termina sa harangue par des considérations prudhommesques sur la fragilité des réputations amenées par un ouragan, et emportées par une tempête. Il invita les jeunes gens ambitieux à méditer sur cette catastrophe, et à tendre au but de leur vie plutôt par une longue suite de travaux modestes, que par de vains coups de canon.

La parole fut donnée au défenseur: Messieurs les juges, s'écria M. Gilet, il faudrait à la cause que je plaide le plus éminent des membres du barreau, non que l'innocence de mon honorable ami, M. de Mérigue, ne soit certaine et évidente, mais pour esquisser en termes dignes d'elle la noble et sympathique figure d'un prévenu qui purifie et illustre, en s'y asseyant, le banc d'ignominie. A défaut d'éloquence je vous apporte un fait inouï dans les annales de la police correctionnelle: un commissaire résignant ses fonctions pour défendre l'inculpé dont il a procuré l'arrestation. Les longues années pendant lesquelles j'ai exercé ma pénible charge m'ont donné une expérience et un coup d'oeil qui ne sont guère susceptibles de s'abuser. Or, Messieurs, sur mon honneur de fonctionnaire irréprochable, sur ma conscience d'homme intègre et de citoyen n'ayant jamais failli, je vous affirme avoir décelé en M. de Mérigue l'attitude d'une victime pure et résignée, et dans l'accusatrice qui n'a point osé soutenir elle-même ses allégations devant vous.... que sais-je? une ennemie qui se venge et qu'assiège déjà l'invasion des remords. Le silence obstiné de l'inculpé, où M. le président voit un aveu, ne serait-il point par hasard une abnégation sublime, l'inertie d'un être miséricordieux qui se laisse immoler pour ne pas tuer en se défendant, l'héroïque urbanité d'un galant homme qui, pour ne pas effleurer la chair d'une femme de la moindre égratignure, renonce à parer ses coups de poignards? S'il m'était donné de soulever le voile mystérieux qui recouvre ce drame, l'accusé, j'en ai la persuasion intime, deviendrait un formidable accusateur. C'est l'infinie délicatesse de M. de Mérigue qui oppose sans doute à nos investigations un formidable rempart. Admirons ce sentiment chevaleresque, mais refusons de nous en rendre les complices.»

Ces quelques paroles émues, quoique dépourvues du moindre argument, impressionnèrent vivement les juges. Mais M. le procureur de la République répondit spontanément: «M. de Mérigue a sauvé la vie à M. Gilet. Ce que vous venez d'entendre n'est point l'exposé de la conviction du défenseur, mais l'explosion de sa reconnaissance. M. Gilet a accompli une série d'actes qui l'honorent au premier chef, mais qui ne sauraient empêcher le tribunal de faire son devoir.»

L'ancien commissaire de police comprit sur le champ, que cette simple phrase du ministère public détruisait tout l'effet de sa harangue. Il se leva pour répondre, mais la claire vue du danger couru par son sauveur lui fit perdre le fil de ses idées et une violente angoisse l'étreignit à la gorge. Il fit quelques gestes indignés sans parvenir à articuler une parole, et retomba bientôt abîmé et anéanti sur son banc. La cause était perdue. Le tribunal, après une très courte délibération, et prenant d'ailleurs en considération les bons antécédents de l'inculpé et le manque de netteté des témoignages accusateurs, condamna simplement Jacques de Mérigue à deux mois de prison.

Le greffier l'avertit ensuite qu'il ne serait point immédiatement incarcéré, et qu'il avait quinze jours pour se constituer prisonnier sans préjudice de son droit d'appel. Le condamné haussa les épaules, et sortit au bras du baron de Sermèze. Les deux amis traversèrent la foule accablés de regards méprisants, et se dirigèrent lentement vers la rue des Saints-Pères. Ils ne tardèrent point à être rejoints par M. Gilet qui engagea instamment Mérigue à faire appel. Tout en remerciant son défenseur avec effusion, le poète refusa catégoriquement de se pourvoir.

—Eh bien, lui dit M. Gilet, je vous ferai gracier.

Jacques secoua tristement la tête.

Quand il arriva à l'entrée du quartier Saint-Barthélémy, il fut pris d'un invincible sentiment de douleur et de honte. Il lui sembla que tous les passants l'écrasaient sous le dédain de leurs regards. Il vit quelques manoeuvres occupés à arracher et à lacérer ses affiches dont les déchirures jonchaient le sol ou roulaient au ruisseau, comme les débris de sa fortune et de sa vie. Il entendit ce bout de conversation entre deux afficheurs de M. Belin.

—Eh bien, dis donc, Polyte?

—De quoi, mon vieux briscard?

—T'as pas besoin de faire attention aux pancartes du Mérigue, tu peux les sabrer, va!

—Est-ce qu'il est parti pour le champ des navets?

—C'est tout comme... le bourgeois-là était tout bonnement un voleur. On l'a jugé, il y a cinq à six jours.

—Euh! malheur... Il devait se présenter à la Nouvelle...

—De quoi, à la Nouvelle?... Les copains n'en voudraient pas...

Tout à coup Sermèze et Mérigue se rencontrèrent nez à nez avec le vicomte d'Escal. Le bonhomme terrifié détourna vivement la tête, et voulut se sauver par une rue latérale. Mais son mouvement fut si brusquement maladroit qu'il glissa, s'entrava avec son parapluie, et la rotondité de son petit corps aidant, s'épata lourdement sur le trottoir. Sermèze, qui n'était pourtant pas en veine de gaîté, partit d'un éclat de rire.

—Tu n'es pas charitable, mon vieux, lui dit Jacques. Va-t'en donc aider ce brave membre du comité à se remettre sur ses pattes. Je t'attends là. Il ne voudrait pas de mon secours.

Le baron accéda par curiosité au désir de son ami, et s'avança vers le vicomte d'Escal, encore tout ébahi de sa chute, et tout honteux d'avoir balayé l'asphalte avec sa noble redingote:

—Eh! bonjour, cher ami, s'écria le vicomte. Vous me rencontrez en mésaventure. Quel excellent hasard me procure le plaisir de vous voir... La baronne de Sermèze se porte toujours comme vous voulez? La vicomtesse d'Escal meurt d'envie de la voir. Quand vous verrons-nous donc tous deux à nos petites soirées du mardi?... Dieu! je suis sale!... Comme ces voies sont boueuses et mal entretenues sous cette vilaine république... excusez-moi... je suis toute crotté... je me sauve chez moi. Ravi, cher baron, de vous avoir rencontré, mes hommages à la baronne. Au revoir. A bientôt, adieu...

Sermèze ne put intercaler la moindre syllabe, et l'ancien patron de la candidature Mérigue détala au petit galop de ses jambes trop courtes, en tenant cette fois le milieu de la chaussée, et en brandissant, sans la moindre intention belliqueuse, son parapluie inoffensif.

Les deux amis rencontrèrent encore quelques personnages de leur connaissance qui affectèrent de regarder le firmament, entre autres un ancien chef de service de l'instruction publique, soupçonné de malversations, et qui, à l'aspect de Mérigue, détourna sa face honnête, rasée de frais en un majestueux mouvement de pudeur. Soudain un prêtre s'avança, qui tendit bravement la main à Jacques. C'était l'abbé de la Gloire-Dieu.

«Je vous tiens pour innocent, mon bon Jacques, lui dit-il d'une voix entrecoupée, et je puis encore quelque chose pour vous. J'espère d'ici peu de jours vous annoncer une bonne nouvelle. Courage et espoir, mon cher enfant.»

Quand Jacques et Sermèze entrèrent dans la maison de la rue des Saints-Pères, ils furent insolemment toisés par le concierge dont la dignité offensée par la vue de son locataire condamné parut subir une violence cruelle.

Sermèze répondit à l'attitude froissée du pipelet, par un regard si peu sympathique, que le représentant du propriétaire se retira brusquement dans sa loge, et s'y enferma à double tour. L'ascension des cent vingt marches fut la dernière période de la voie douloureuse.

On croisa dans l'escalier plusieurs locataires qui prirent de grandes mines sévères. Sur le palier même de Mérigue, un employé de commerce, son voisin, le regarda sans le saluer. Au moment où ils entraient dans le logement, les deux amis s'entendaient rappeler par une voix perçante et criarde qui montait du rez-de-chaussée.

—Eh là-haut. Eh donc là-haut!

—Qu'y a-t-il? demanda Sermèze.

—Le propriétaire vous donne congé, répondit la voix dépourvue d'harmonie.

—Ah! dit Mérigue avec un soupir de dégoût, le proverbe parle du coup de pied de l'âne au singulier. Voilà le dixième que je reçois depuis une heure... je n'ai rencontré sur ma route que des aliborons scandalisés.

—C'est pas tout ça, mon pauvre vieux, reprit Sermèze, que vas-tu faire maintenant?

—Maintenant?... je vais attendre la quinzaine pour me constituer prisonnier.

—Mais en attendant tu ne vas pas rester désoeuvré?...

—Jamais de la vie.

—A quoi vas-tu t'occuper?

—Je vais achever ma Rédemption des Damnés, puisque la politique et le professorat me laissent des loisirs.

La duchesse Blanche avait été informée par exprès de la sentence prononcée par le tribunal correctionnel.

La vengeance était assouvie, elle pouvait maintenant songer à jouer son rôle de souveraine clémente.

Sa colère s'était peu à peu dissipée dans son âme, et sa passion inapaisée commençait à y rentrer en compagnie du repentir, Blanche se fit belle comme à ses plus beaux jours de gala; elle revêtit une robe de damas rouge, et surchargea son cou, ses bras et ses mains des joyaux les plus splendides. Le duc de Largeay étant survenu par aventure:

—Où allez-vous donc comme cela, ma chère?...

—A la direction des grâces, mon ami.

—Cette direction, duchesse, se trouve depuis longtemps entre vos mains.

—Oh! vous êtes galant aujourd'hui, je crois, Dieu me damne, que vous me confondez avec Mlle Zoé.

—Oh! méchante!... Laquelle de vos sujettes allez-vous chercher?...

—Trêve de calembours, mon ami, je vais demander la grâce de M. de Mérigue.

—Vous avez perdu le sens... je n'y comprends plus rien.

—Consolez-vous... vous n'y avez jamais rien compris.

—Vous l'avez donc fait condamner pour vous donner la satisfaction de lui pardonner ensuite.

—Eh! eh! peut-être bien!

—Ce sont les jeux de reine.

—Qui valent bien le jeu de l'oie, j'imagine.

—Vous êtes vraiment ravissante ainsi. Je dînerai ce soir avec vous.

—Non, non, mon ami. On vous traiterait d'infidèle de l'autre côté de l'eau.

La duchesse descendit alors dans la cour, se jeta au fond d'un coupé bleu, attelé de deux alezans rapides, en disant au valet de pied:

—Place Vendôme, au ministère de la justice.

Le duc de Belverana se trouvait déjà auprès du directeur des affaires criminelles. Il dit tout le bien qu'il put imaginer de Mérigue sans toutefois faire la plus petite allusion au grand secret qui lui était confié. Le chef de service l'écouta avec déférence et lui répondit:

«Je ne demande pas mieux, monsieur le duc, que de faire un rapport favorable à vos désirs, mais le condamné doit au préalable épuiser les juridictions. Qu'il aille d'abord en appel. Nous verrons ensuite.»

Le duc en sortant croisa Blanche de Largeay dans les corridors du ministère. Il la salua le plus gracieusement du monde, lui demanda des nouvelles de sa santé, et ne lui souffla pas un mot du motif identique qui les avait amenés tous deux dans les antichambres de l'administration. La duchesse demeura près d'une heure avec le directeur des grâces. Elle essaya de toutes les instances et de toutes les supplications, mais se heurta constamment à la même réponse: «Qu'il fasse d'abord appel, nous verrons ensuite...» Comme elle sortait toute courroucée avec des larmes de dépit dans les yeux, elle rencontra M. Gilet qui se précipita sans la saluer dans le cabinet du chef de service. Il en sortit au bout de quelques minutes, et la duchesse entendit ces paroles prononcées par le directeur:

—Très bien, mon cher commissaire, je vais faire préparer les lettres de grâce dès que le dossier de l'affaire me sera parvenu du tribunal. D'ici trois jours, le décret sera revêtu de la signature du président de la République. Vous pouvez d'ores et déjà en aviser votre protégé.

La duchesse courut au devant de l'ancien commissaire.

—Vous avez dû être diablement éloquent, lui dit-elle, je n'ai pu, moi, me faire écouter de ce monsieur.

—Non, madame la duchesse, répondit M. Gilet, l'éloquence n'est pas mon fort. Je suis simplement un honnête homme qui se sacrifie à ceux qu'il aime, au lieu de les immoler à sa jalousie ou à ses ressentiments.

XVI

LE RENDEZ-VOUS

Ce même soir, suivant sa promesse, le duc de Largeay, qui était en délicatesse avec Zoé, vint dîner chez sa femme. Blanche n'apprécia guère cette rare amabilité, d'autant plus que son mari la taquina tout le temps du repas au sujet de sa démarche au ministère de la justice.

—Eh bien, chère amie, avez-vous réussi dans vos intentions miséricordieuses?

—Parfaitement, cher duc.

—Vous allez rendre ce jeune drôle aux douceurs de la liberté?

—Certainement. Ce sera fait sous trois jours.

—Vous aurez la bonté de m'indiquer la conduite que je dois tenir envers lui. Faut-il le provoquer, lui trouver un éditeur, lui loger une balle dans la tête, lui faire des excuses, le souffleter, patronner sa candidature, le tuer, le ressusciter, le calotter, l'adorer...

—C'est vrai tout de même, mon pauvre ami, vous avez à peu près fait tout cela.

—Si vous m'en gardiez au moins un atôme de reconnaissance.

—Oh! duc, c'est vous qui me devez de la gratitude pour les services que je vous demande.

—C'est juste. Merci de me rappeler aux vrais principes de la galanterie. Mais enfin, veuillez, de grâce, me faire connaître quel visage il me faudra faire à votre voleur favori, la prochaine fois que j'aurai l'heur de le voir?

Blanche était profondément vexée de voir son mari la «blaguer». Elle essayait bien de lui riposter par quelques-unes de ses pointes habituelles, mais son état de préoccupation émoussait les traits les plus acérés de son carquois.

Contrairement à ce qui se passait d'ordinaire, le duc, ce soir-là, eut un avantage marqué sur la duchesse et parvint, en très peu de temps, à l'exaspérer. Aussi, quand il lui fit la proposition de passer la soirée avec elle ou de l'emmener dans le monde, provoqua-t-il cette simple réponse, sèchement formulée:

—Allez donc à votre club, ou à votre...

—Ou à mon...

—Ne m'agacez pas... ou je vous lâche le mot... Bonsoir.

Le duc sortit le sourire aux lèvres.

Quelques minutes après on apportait à la duchesse une lettre dont elle reconnut l'écriture et qu'elle décacheta fiévreusement. Elle lut:

«Ma chère cousine,

«Nous avons demain une permission de minuit. Pourrai-je obtenir l'insigne faveur d'être de nouveau choisi par vous comme lecteur extraordinaire? J'ose vous assurer que je mérite bien quelque amabilité de votre part: Je suis allé l'autre jour, par amour pour vous, tirer les oreilles à ce misérable Mérigue qui a filé doux comme un agneau, et a péremptoirement refusé de se mesurer avec moi sur le terrain. A demain, chère cousine.

«Veuillez d'un tout petit mot accueillir ma très humble supplique.

«Votre affectionné cousin,

«Robert».

La duchesse répondit à son médiateur plastique:

«Venez à neuf heures et demie.»

«Vannes, Duchesse de Largeay.»

«*P.S.*—Soyez un peu vraisemblable dans le récit de vos prouesses.»

Blanche, à la lecture de l'épître élaborée par son jeune parent, le dépit et l'agacement aidant, fut prise tout à coup du désir très net de renouveler la pantomime galante du dimanche précédent, en y ajoutant même quelques fioritures encore inédites. Quant à Robert de Vaucotte, il n'eut pas plus tôt lu la réponse affirmative de sa cousine qu'il prit le solennel engagement devant la poignée de son sabre de ne pas se laisser berner comme la dernière fois et d'obtenir de plus sérieuses faveurs...

Blanche attendit l'heure qu'elle avait fixée au candidat cavalier en dînant seule au cabaret du Lion-d'Or, à l'effet d'émoustiller un peu son humeur tant par la nourriture pimentée des mets de restaurant que par l'éclat des lumières et le va et vient des jeunes élégants autour du linge éclatant des petites tables.

Cependant l'abbé de la Gloire-Dieu avait résolu ce soir-là d'avoir une entrevue avec la duchesse pour éclaircir l'affaire si étrange du procès Mérigue, et tâcher, par suite des renseignements qu'il pourrait obtenir, d'être de quelque utilité à son pauvre ami. Sans prévoir la vérité des faits dans son intégralité monstrueuse, il connaissait assez les personnages du drame qui venait de se dérouler, et en particulier la duchesse, sa pénitente, pour avoir la certitude morale de l'innocence de Jacques, et de quelque trame machiavélique ourdie par Mme de Largeay. Il ne s'arrêta point à la considération que sa visite vespérale pourrait être critiquée. Après avoir terminé sa journée d'apôtre et rempli toutes les obligations de son ministère paroissial, il allait droitement et simplement accomplir ce qu'il croyait une bonne oeuvre, sans s'inquiéter de ce que les malveillants seraient capables de dire ou de penser.

L'abbé se présenta à neuf heures à l'hôtel de Largeay et se fit introduire d'autorité dans le salon, où il trouva déjà couché sur un divan le jeune Robert de Vaucotte. Robert s'était jadis confessé au premier vicaire de Saint-Barthélémy, il le respectait et le craignait; son désappointement égala sa gêne quand, au lieu des volants de soie rouge qu'il attendait, il vit onduler à ses yeux les plis noirs de la soutane du prêtre.

—Vous ici, Robert, seul à cette heure! Que faites-vous, mon enfant? demanda l'abbé de la Gloire-Dieu.

—Ah! bonjour, monsieur l'abbé... je suis bien charmé... je ne pensais pas à vous... J'attends ma cousine qui va venir à neuf heures et demie.

—Je vous conseille de vous retirer, mon enfant. J'ai de graves questions à traiter avec la duchesse.

—Mais elle m'a donné rendez-vous, monsieur l'abbé.

—Eh bien, dit le vicaire en fronçant le sourcil, je me charge de lui dire que je vous ai renvoyé.

—Mais, monsieur l'abbé... monsieur l'abbé...

—Laissez-moi seul ici, Robert, retirez-vous, mon enfant.

Vaucotte n'osa point résister à l'injonction de l'abbé, prononcée d'une voix ferme et douce.

Il sortit lentement du salon et alla se blottir dans la salle à manger en se disant: «Quand il aura fichu le camp, je reviendrai. En voilà encore un qui ne me prend guère au sérieux.»

A neuf heures et demie très précises, le coupé de la duchesse s'arrêta devant le perron de l'hôtel. Elle en sortit leste, pimpante, éméchée, jeta précipitamment son chapeau et sa casaque dans l'antichambre et demanda au laquais de service:

—M. le comte de Vaucotte est-il arrivé?

—Oui, madame la duchesse, lui fut-il répondu.

Elle s'élança dans le salon: La haute et maigre silhouette de l'abbé de la Gloire-Dieu émergeait seule parmi le clair obscur des lampes baissées.

La duchesse poussa un petit cri de surprise désagréable.

—J'ai à vous entretenir d'une importante question, madame, dit le premier vicaire, aussi me suis-je permis de me présenter devant vous à une heure un peu insolite. Je compte que vous voudrez bien m'excuser?

—Certainement, monsieur l'abbé... Excusez vous-même mon étonnement. J'attendais... un de mes cousins.

—Je l'ai trouvé ici, madame, il n'y a pas vingt minutes. Je connais très bien Robert... bon enfant, un peu trop léger, peut-être... Bref, il eût empêché ou gêné notre entretien. Je l'ai prié de se retirer. Il a déféré au voeu que je lui exprimais.

—Ce nigaud de valet de chambre qui me dit que mon cousin est là, et ne m'avertit pas même de votre présence, observa Blanche sur un ton peu gracieux.

—Ne grondez pas vos gens, madame la duchesse. Ils ont rempli toutes leurs instructions. J'ai même eu quelque difficulté à pénétrer jusqu'ici, mais j'étais décidé à forcer la porte.

—Êtes-vous belliqueux ce soir, dit Blanche en essayant de sourire.

—Oh! madame, reprit l'abbé; ce que j'ai à vous dire est très sérieux.

—Ah! fit Blanche anxieuse et intimidée.

—Ma chère enfant, excusez cette appellation peu mondaine, mon âge me donne quelque droit à l'employer... Je vous ai baptisée, je vous ai fait faire votre première communion. Vous voulez bien vous adresser à moi de temps en temps pour éclairer et diriger votre conscience... Ne voyez toutefois en ce moment ni le prêtre, ni le confesseur, ni le directeur, mais un ami... affligé; un de vos meilleurs amis, j'en puis jurer, l'ami de votre âme.

Blanche, troublée, ne répondit rien. L'abbé poursuivit:

—Vous avez accusé M. de Mérigue d'une action infâme, je vous adjure, au nom du Dieu qui nous entend et qui nous jugera, de m'avouer la vérité.

La duchesse garda le silence.

—Vous vous taisez, mon enfant. C'est là un aveu d'une formidable éloquence, je l'interprète ainsi: «J'ai porté contre ce jeune homme une accusation calomnieuse.» Niez un peu, je vous prie. Niez donc... vous vous taisez... Une troisième fois, par Jésus-Christ notre

Seigneur, opposez-moi une négation si vous n'êtes point coupable...
Rien, rien... quel crime horrible, mon enfant!... Maintenant, pourquoi
avez-vous commis cet acte odieux?

—Oh! monsieur l'abbé, je me sens bien souffrante!...

—Pourquoi avez-vous commis ce forfait? M. de Mérigue vous
aimait... Vous l'aimiez peut-être... N'est-il pas vrai?

—Monsieur l'abbé, vous me torturez.

—Encore un aveu, ma pauvre enfant... mais ce jeune homme
autrefois était en droit de vous aimer, et vous-même pouviez lui
rendre amour pour amour. Vous êtes aujourd'hui la duchesse de
Largeay. Il vous est interdit de penser l'un à l'autre.

—Oh! monsieur l'abbé, de grâce...

—Il fallait l'épouser, si vous l'aimiez... Du jour de votre mariage
votre devoir était de l'oublier comme il vous a oubliée lui-même.

—Il m'a oubliée!... il m'a oubliée... que dites-vous?...

—Calmez les cris de vos passions. Vous n'avez plus le droit de faire
entendre que les gémissements de votre pénitence. Que s'est-il passé
entre vous? Je l'ignore. Toujours est-il que vos sentiments illicites
probablement repoussés par cet honnête homme...

—Il vous a donc tout dit?

—Rien, mon enfant, rien. Laissez-moi poursuivre; je disais que votre
amour déshonnête, probablement repoussé, avait dû, sous
l'influence de quelque accès de folie, se transformer en un
mouvement de colère féroce. Quand nous laissons dominer notre
âme par ces deux passions, la luxure et la violence, il n'y a pas de
monstruosités dont nous soyons incapables. Et vous, madame,
enfant de Dieu et de l'Église, élevée par une mère chrétienne,
croyant à notre sainte religion et la pratiquant, vous, placée au
sommet de l'échelle sociale pour donner l'exemple aux faibles et aux
petits; vous, dont les mains servent de canal aux divines aumônes;
vous, qui faites chaque matin votre prière devant le crucifix, et qui
courbez votre front dans l'ombre des temples; vous, qui vous

indignez contre les blasphèmes proférés et contre toutes les profanations accomplies dans le monde; vous, qui n'avez pas assez de dégoûts et assez de flétrissures pour stigmatiser la débauche des malheureuses qui meurent de faim; vous, la duchesse de Largeay, infidèle à votre foi, à votre honneur, à votre Dieu, vous précipitez de gaieté de coeur dans un abîme d'opprobre, un homme irréprochable, parce qu'il vous respecte, vous ayant aimée!

—Purifiez-moi, mon père, sanglota la duchesse brisée.

—Je ne le puis en cet instant et en ce lieu. Venez me trouver demain à l'église. Je suis venu ce soir essayer d'éveiller au fond de votre conscience les échos de nos enseignements et de nos exhortations. Je bénis le Seigneur, car je ne crois pas avoir parlé en vain. Répondez-moi, êtes-vous coupable et vous repentez-vous?

—Oui, mon père, soupira Blanche à voix basse.

—Bien, mon enfant, mais sachez que ceci n'est rien. Il faut expier et réparer. Je vous épouvanterais si je vous exposais comment les chrétiennes des temps anciens auraient fait pénitence de pareilles indignités. Qu'auriez-vous cependant à m'objecter si je vous disais: «Pour recevoir l'absolution, vous confesserez à la justice toute l'étendue de votre crime, vous consentirez à être avilie à tous les yeux, vous subirez dans quelque prison obscure, côte à côte avec la lie des misérables, la peine édictée dans les codes humains contre la calomnie et le faux témoignage; après cette expiation préliminaire et insignifiante, vous revêtirez une robe de bure dans un monastère de carmélites, et, séparée à jamais du monde par une grille de fer, vous pleurerez toute votre vie la honte et l'horreur de votre forfait.» Dites-le-moi, en vérité, si je vous tenais un pareil langage, trouveriez-vous dans votre coeur ou dans votre conscience la force de me répondre: «Mon Père, vous dépassez la volonté de Dieu!»

—Grâce, grâce! murmurait la duchesse agenouillée.

—Debout, madame, vous ne pouvez rester ainsi... Eh bien! si vous eussiez vécu au temps de la primitive Église, une pénitence semblable vous eût été imposée. Mais Dieu proportionne la rigueur de ses ordres à l'abaissement de nos caractères et à la lâcheté de nos moeurs... Voici la réparation que je vous demande d'accorder à votre victime... Vous m'autoriserez verbalement à écrire à sa famille désolée, que M. de Mérigue a été condamné sur de fausses apparences, et que le fait qui a donné lieu aux poursuites est tout entier à son honneur. J'ajouterai que l'auteur, repentant des infortunes de ce jeune homme, m'a chargé expressément d'être auprès des siens l'interprète de la vérité...

—Mon père, répondit la duchesse, qu'il soit fait ainsi que vous le décidez.

—Et maintenant, ma pauvre enfant, priez le bon Dieu qu'il vous pardonne...

L'abbé de la Gloire-Dieu se leva sur ces dernières paroles. Il salua la duchesse anéantie et sortit lentement. Quand il se fut éloigné, Blanche entendit un pas rapide approcher du salon. La porte s'ouvrit bientôt. C'était Robert de Vaucotte.

—Ah! chère cousine, s'écria-t-il, vous êtes enfin libre!

La duchesse considéra le Saint-Cyrien avec la stupeur d'une personne qui passerait subitement de l'audition du *Dies iræ* à l'exécution d'un opéra bouffe. Elle laissa errer sur le futur cavalier un regard empreint d'une compassion dédaigneuse.

—Eh bien! cousine, poursuivit Robert, quelle lecture désirez-vous que je fasse ce soir?

Blanche lui répondit:

—Lisez donc dans votre *Indicateur* l'heure prochaine du train de Versailles!

XVII

MISÉRICORDE!

En sortant du Ministère de la justice, M. Gilet s'était immédiatement rendu auprès de Jacques et lui avait fait connaître qu'il allait être gracié. Une scène émouvante eut lieu entre ces deux hommes que des circonstances bien singulières avaient réunis par les liens de l'amitié.

L'ancien commissaire, qui avait espéré un acquittement, n'estimait point avoir payé sa dette de reconnaissance et accusait lui-même son impuissance et son incapacité.

Le poète, au contraire, peu habitué à voir pratiquer autour de lui des actes d'abnégation, était profondément touché à l'aspect de cet homme qui venait de briser sa carrière pour venir le défendre.

—Si l'un de nous reste l'obligé de l'autre, dit-il à M. Gilet, c'est moi sans aucun doute. Le service que je vous ai rendu m'a coûté un simple geste, un mouvement de bras, le premier passant venu eût agi de même, tandis que vous vous êtes sacrifié, et je déclare hautement que je ne connais pas deux hommes au monde capables de tenir une conduite comme la vôtre.

Dès qu'il eut la certitude d'être gracié, Jacques de Mérigue fit ses préparatifs de départ. Tous ses plans étaient renversés, toutes ses espérances ruinées, tous ses rêves évanouis au vent de la réprobation publique. Il n'avait plus qu'à reprendre le chemin de son pauvre Limousin et à passer auprès de sa famille le reste d'une vie obscure et inutile. Cette pensée l'accablait. Se voir dans toute la force de l'âge et du talent, avoir pleine conscience d'une énergie et d'une valeur universellement admirées, s'estimer légitimement capable d'arriver aux destinées les plus brillantes, et, subitement, pour jamais, d'une façon irrémissible, se briser les reins dans une chute ignominieuse!

Et ce n'étaient pas là ses plus cruelles réflexions.

Ce qui infligeait à son âme une incomparable douleur, c'était l'idée que son vieux père, sa mère, tous les siens, pourraient le croire coupable en dépit de ses dénégations. Joseph de Mérigue avait écrit à son fils qu'il ajoutait foi à ses protestations d'innocence, mais qu'il le suppliait de lui dévoiler toute la vérité.

Or, Jacques se regardait comme tenu d'honneur à ne plus révéler à personne les tristes circonstances de son malheur. Il avait tout avoué à son ami le baron de Sermèze en vertu de cette disposition d'esprit, singulière peut-être, mais bien fréquente, qui établit entre les amis intimes des liens plus étroits que les liens même de la famille.

La confidence faite au duc avait été le corollaire obligatoire, on s'en souvient, de la révélation faite à l'ami. Actuellement Mérigue avait pris, au sujet de son infortune, la résolution d'un silence éternel, sans se dissimuler que cette ligne de conduite ferait naître autour de lui de bien pénibles soupçons. Il était abîmé dans ces réflexions quand il reçut la visite de l'abbé de la Gloire-Dieu.

—Comme je m'y suis engagé, lui dit le prêtre, je vous apporte une bonne nouvelle, mon cher enfant.

Mérigue regarda le premier vicaire d'un air triste et incrédule.

—Je suis en mesure, continua l'abbé, d'amener dans l'esprit de votre famille la pleine et entière conviction de votre innocence absolue.

—Ah! si vous faisiez cela, monsieur l'abbé, vous me rendriez la moitié de ma vie... mais vous m'étonnez beaucoup. Je nierai jusqu'à la mort, c'est tout ce que je puis faire.

—Ayez confiance en Dieu, Jacques, vous méritez une réhabilitation, c'est mon opinion inébranlable. Vous allez sans doute revenir au pays?

—Puis-je faire autre chose? Évidemment non. Les personnes les plus indulgentes m'accorderont leur pitié. Je suis fini. Je renonce à la conquête des astres.

—Non, non, cher enfant, quand on agit, comme vous l'avez fait, on va plus loin que les étoiles, on monte au ciel.

Jacques garda le silence, mais il comprit que l'esprit et le coeur du prêtre avaient l'intuition de la vérité.

L'abbé de la Gloire-Dieu poursuivit.

—Vous me préviendrez du jour de votre départ. Ce jour-là même j'écrirai à M. le comte votre père. Et je vous donne ma parole de prêtre et d'honnête homme, qu'après avoir lu la communication que je vais avoir l'honneur de lui faire, le chef de votre bonne et sainte famille ne reniera pas son fils, le représentant de son nom.

Jacques remercia le digne ecclésiastique, mais il considéra ses paroles comme une simple consolation et n'ajouta guère foi à la possibilité de ses promesses. Il prit la résolution de partir dès le lendemain soir. Il écrivit dans ce sens au baron de Sermèze, à l'abbé et au vieux comte Joseph. Sermèze vint passer une partie de la journée avec son ami et l'aida à préparer son pauvre petit bagage. A six heures du soir, Jacques se retrouva seul. Le départ du train était à neuf heures. Toutes ses petites dettes une fois acquittées, et quelques légères emplettes effectuées, il restait au poète quarante francs: Le prix d'une voiture pour le conduire à la gare et le montant de son billet en troisième classe.

Il se préparait à faire un repas plus que modeste, lorsque la sonnette de son antichambre fit entendre un léger tintement. Mérigue hésita à ouvrir croyant à une illusion, le tintement recommença presque imperceptible comme le dernier soupir d'un moribond, Mérigue ouvrit sa porte. Une femme tout en noir parut sur le seuil. Jacques recula jusqu'au milieu de sa chambre et croisa ses bras sur sa poitrine. La duchesse de Largeay s'arrêta à deux pas de sa victime.

—C'est moi, fit-elle d'une voix si faible et si brisée, que le poète en ressentit une étrange commisération.

Il répondit doucement.

—Vous souffrez, Madame? Qu'avez-vous?

La duchesse releva son voile et jeta à Jacques un regard suppliant. L'angoisse de l'amour désespéré et du repentir douloureux contractait son visage pâle comme une figure d'albâtre. Aucun bijou. Aucune parure. Pas le plus petit ruban de soie. La tenue morne du grand deuil.

Et subitement, Blanche de Largeay tomba à genoux. Jacques de Mérigue, éperdu, cachait sa figure dans ses mains. Il entendait monter vers lui, murmurée vaguement comme une oraison mortuaire, la prière de celle qu'il avait aimée, et qui faisait palpiter encore toutes les fibres de son coeur mutilé.

«Jacques... devant la mort toutes les colères s'effacent, je vous ai tué, et me suis poignardée du même coup de couteau. Je viens vous demander pardon. Je ne veux pas que vous partiez sans m'avoir tendu cette main généreuse, cette main héroïque et sublime qui à refusé de parer mes coups. Vous ne repousserez pas mes supplications quand vous saurez les tourments que j'endure. J'ai voulu me venger, et je vous l'avoue dans toute l'humilité d'une âme à jamais brisée, j'ai eu l'infamie de savourer le fruit empoisonné de mon ressentiment.

Mais au nom du Dieu que vous servez et que j'ai outragé, par tout ce que vous avez de plus cher, par votre mère, vos chères petites soeurs, par votre ancien amour pour moi, de grâce, ne m'accablez pas. Il m'a fallu du courage, allez, pour avoir osé me présenter ici. Vous pouviez, à bon droit, me jeter dans votre escalier comme la dernière des filles perdues. Mais je connaissais votre coeur, votre grand coeur, que j'ai percé d'un glaive, et je l'ai estimé si large et si bon, si haut et si doux, que j'ai espéré en voir couler sur ma tête, en même temps que son noble sang, hélas, quelques gouttes de miséricorde.

Il y a deux jours que j'éprouve les tourments de l'enfer; je n'en étais encore, je le confesse à ma honte, je n'en étais qu'aux repentirs vagues et lâches, quand à l'heure habituelle des plaisirs et des folies, un homme s'est présenté à moi, qui m'a dévoilé de sa main austère toute la noirceur de mon forfait. Et depuis ce moment j'ai revêtu une robe couleur de la nuit, comme la sienne. En vérité, Jacques, je suis plus malheureuse que vous.

—Je vous crois, Madame, répondit Jacques toujours immobile.

—Votre vie est brisée, poursuivit la duchesse, tout avenir vous est fermé, tous vos amis vous abandonnent sans retour, mais vous gardez en vous-même le souvenir éternel d'un acte magnanime. Moi, je demeure toujours riche et fêtée, mais le remords m'étreint, un remords qui m'arrache toute faculté de penser, toute énergie de vivre. Je n'ai même pas, je l'avoue humblement, le vouloir nécessaire pour expier ma conduite envers vous, mais vous me plaindriez tout de même, si vous connaissiez le venin du serpent caché qui me ronge. Oh! dites-moi: j'ai pitié de vous!.. Jacques de Mérigue, déshonoré, ruiné, perdu, la duchesse de Largeay, puissante et adulée, se traîne à vos pieds et vous demande grâce.

—J'ai pitié de vous, répondit Jacques.

—Quelle douce parole, mon ami... Puis-je la croire sincère?... oh! ce doute est une nouvelle offense. Oui, vous avez pitié de moi, vous, le martyr, de moi, le bourreau. Vous n'avez jamais menti, vous. Quand vous dites un mot, c'est la vérité qui descend du ciel. Merci. Merci. Je ne vous promets pas ma reconnaissance, vous n'en auriez que faire, et je dois même vous savoir gré de tolérer ma présence ici, où tout vous retrace mon crime, où tout vous proclame ma trahison. Votre inépuisable bonté me pousse encore à vous demander quelque chose; vous frémirez de mon audace, vous me jetterez encore l'expression de votre mépris, mais qu'importe, j'accepte tout d'avance... Je ne puis taire le sentiment qui convulse mon âme... Auparavant, Jacques, dites-moi que vous me pardonnez?

—Je vous pardonne, répondit Jacques, et, s'avançant vers la duchesse, il la releva et la fit asseoir.

Blanche continua d'une voix plus animée.—Est-ce possible? Vous croyez à ma sincérité, vous me plaignez et vous m'absolvez après mes faux témoignages, mes cruautés, mes infamies... Je dois prononcer ce mot stigmatisant. Et maintenant, pour ce qu'il me reste à vous demander, je ne me sens vraiment la plus petite force et le moindre courage... Mon audace me semble à moi-même dépasser toutes les bornes, et vous aurez le droit et la justice pour vous si vous me repoussez en me foudroyant. Si quelque chose peut m'enhardir, c'est la douceur de votre voix que je n'ai jamais entendue aussi mélodieuse; non, Jacques, vous n'aviez pas d'accents pareils, même au temps cher où vous m'aimiez, dans la pénombre de la chapelle aux vitraux rouges, dans la gloire de la grande église où mugissaient les orgues et où les flûtes pleuraient, pendant les veillées illuminées de joie où vous me traduisiez les grands poètes nuageux et vagues, dans la langue brûlante et radieuse de votre coeur. Aussi, mon ami, je n'hésite pas plus longtemps. En me relevant tout à l'heure, vous m'avez un peu réhabilitée. Vous avez rendu des ailes à mon espérance. Je suis dans un cercle de l'enfer plus rapproché du Paradis.

Ah! le paradis, comme il est loin encore... comme il est douteux que je le contemple jamais. Et pourtant, Jacques, vous en avez la clef dans les mains, la clef étincelante et douce. Que dis-je? La porte de cet Eden pourrait s'ouvrir à un mot de votre bouche, à une seule parole murmurée par vos lèvres... Ange de pitié, vous m'avez plainte; ange de miséricorde, vous m'avez pardonnée. Ange de tendresse, m'aimez-vous encore?

Jacques répondit:

—Hélas, Madame... je vous aime.

La duchesse poussa un cri, se leva et tendit les bras au jeune homme. Le poète l'arrêta d'un simple geste doux et grave. Il continua ainsi.

—Blanche, le moment est solennel, nous nous voyons pour la dernière fois de notre vie. Les impressions ne se commandent pas, mais les actes dépendent du libre arbitre. Je puis songer à vous, vous pouvez penser à moi, mais ce sentiment ne peut plus être qu'un souvenir, un souvenir lointain et triste que nous devons ensevelir au plus profond de notre âme dans un impénétrable linceul. Rappelez-vous ces morts d'autrefois qu'on entourait de bandelettes parfumées, et près desquels veillait une faible lampe au sein des hypogées silencieux. Si nous étions héroïques nous laisserions même le flambeau s'éteindre. Vous avez des devoirs d'épouse, vous aurez un jour des devoirs de mère. C'est en les accomplissant que vous obtiendrez à vos propres yeux la résurrection de votre honneur. Quant à moi je vais disparaître, nul écho ne répétera plus mon nom, et j'aurai quelque droit dans ma solitude inviolée, à songer que je suis tombé dans la nuit pour sauver la femme que j'aimais.

—Que vous aimez encore, Jacques?

—Je ne m'en dédis point, Blanche, mais les passions du coeur, sachez-le, sont pétries d'une double argile. Il y a deux fleurs dans l'amour: le dévouement et la tendresse. La tendresse est une sensitive qui se fane au moindre brouillard, le dévouement est une immortelle dont nul hiver ne flétrit le calice.

—Excusez mes prières importunes, Jacques, répondit la duchesse, mais je vous conjure de me donner un gage de cet amour que vous me gardez, un gage dont le souvenir puisse éclairer toute ma vie... Mettez ce comble à votre intarissable bonté!

—Que puis-je faire, madame?

—O Jacques! un baiser... un seul baiser.

—Vous appartenez au duc, madame.

—Appelez-moi Blanche, mon ami.

—Blanche, ne me demandez pas une chose impossible.

Les yeux de la duchesse se fixèrent sur Jacques dans une attitude suppliante et désespérée.

Tout à coup, le poète reprit:

—Un jour, Blanche, je vous ai insultée, je vous ai frappée au front, je vous dois réparation pour cet outrage; permettez-moi de l'effacer avant de vous dire un adieu éternel.

A ces mots, Jacques de Mérigue se pencha lentement vers la duchesse et lui effleura les cheveux de ses lèvres. Blanche, toute radieuse, saisit les mains du poète et y colla sa bouche palpitante; le jeune homme se dégagea doucement:

—Maintenant, dit-il, soyez forte et courageuse, faites du bien aux pauvres, aux inconnus, aux malheureux; aimez à soulager les misères qui se cachent, les infortunes ignorées du monde. C'est dans l'obscurité et dans l'indigence que vous avez rencontré... un jour, celui...

Jacques ne put continuer, les sanglots étreignaient sa gorge. Il prit la duchesse par la main et la reconduisit en pleurant jusqu'à la deuxième porte. Arrivée là, Blanche lui souffla à voix basse:

«Rappelle-toi.»

Jacques répondit: «Oubliez... Adieu!...»

XVIII

LA CONQUÊTE DES ÉTOILES

A huit heures et demie, Jacques prit lui-même sa malle, jeta un dernier coup d'oeil à la triste mansarde qui avait vu l'éclosion et l'anéantissement de ses rêves, puis descendit à pas lents, courbé sous son fardeau, les cent vingt marches qu'avaient si souvent montées, chargés d'illusoires mensonges, les fantômes disparus de la gloire et de la fortune. En passant devant la loge du concierge, il tendit à cet homme une pièce de deux francs.

—Plaît-il? demanda le portier dédaigneux.

—C'est pour vous, dit Jacques.

—Merci, je n'ai pas besoin de votre argent, répondit le grossier cerbère.

—Vous avez raison, répliqua Jacques, et il se dirigea vers la rue au bruit d'une querelle assez vive faite par la femme du pipelet à son trop superbe époux.

—Es-tu serin, Hippolyte, disait la compagne du préposé au cordon; tu refuses là de quoi acheter une belle moitié de lapin.

—Cours-lui après, si tu y tiens, répliqua Hippolyte.

La ménagère ne se le fit pas dire deux fois. Elle s'élança sur les pas du voyageur en lui disant:

—Monsieur, je vais vous chercher une voiture.

Mérigue monta dans le véhicule amené et donna les deux francs à Mme Hippolyte, qui retourna insolemment la pièce sous toutes les faces, pour s'assurer qu'elle n'était pas fausse.

Le cocher partit. Aux lueurs des réverbères, Jacques aperçut encore çà et là, sur quelques vieilles murailles, des fragments de sa proclamation aux électeurs, imparfaitement recouverts par les affiches de M. Belin. Le faubourg Saint-Germain fut dépassé bien vite et l'image importune de la récente gloire disparut avec lui. En traversant le quartier Latin, le poète songea aux jours laborieux et obscurs des études scientifiques et juridiques, et cette époque lui parut noyée dans une fabuleuse antiquité. La vue du Jardin des Plantes et de la Halle aux Vins lui rappela son arrivée à Paris, accompagnée du cortège des jeunes espérances. La gare d'Orléans apparut enfin, comme le grand écueil définitif où sa pauvre barque venait se briser. Il eut encore à essuyer les impertinences de l'automédon, qui critiqua la modicité du pourboire et le ton discourtois des employés à l'égard des voyageurs de troisième classe. On lui demanda à quatre reprises d'avoir à exhiber son billet. Il monta dans un compartiment bondé de soldats et eut à subir leurs cris, leurs disputes, leur joie bruyante avec la grossière fumée de leurs pipes. Il succomba bientôt à l'excès du dégoût et de la fatigue morale et s'endormit profondément sur sa banquette.

Et le vaincu de la vie eut un long rêve glorieux. Il rentrait à Mérigue accompagné de Blanche, avec une escorte de triomphateurs. Des fanfares jouaient, des feux de joie s'allumaient, des jeunes filles aux robes voyantes apportaient des corbeilles de fleurs. Les vieux parents attendaient leur fils illustre au seuil de leur maison rajeunie, les fidèles serviteurs pleuraient de joie, les chiens aboyaient d'allégresse.

Les floraisons et les verdures s'agitaient au vent comme des étendards victorieux. Une chambre nuptiale resplendissante s'ouvrait aux pas des jeunes époux, et un grand lit mystérieux et sombre enveloppait l'ivresse de leur amour. Puis, sur les ailes d'une brise parfumée au souffle des roses, tout le château s'élevait au ciel dans une apothéose de rayons. Et du sang de Jacques et de Blanche descendait une lignée de poètes couronnés qui gouvernait et charmait la terre.

Un violent coup de sifflet arracha Mérigue au ravissement de ses songes. Il releva sa tête appesantie et tourna ses yeux vers l'étroite fenêtre du vagon. Il faisait déjà grand jour et beau soleil. Les compagnons du triste voyageur, abrutis dans un sommeil stupide, étaient vautrés au hasard, les uns sur les autres, tout débraillés et la bouche entr'ouverte.

Ils rêvaient, ceux-là, aux marches pénibles, aux châtiments barbares, à la pesanteur du joug implacable, aux grondements des canons, aux râles étranglés des mourants dans une plaine ensanglantée. Aussi le cri de la vapeur se gardait bien de les réveiller.

Vers neuf heures du matin, le serre-frein, d'une voix gasconne et nasillarde annonce la station de Bussière-Galand. Jacques de Mérigue est arrivé. Il franchit à grand'peine la soldatesque endormie et descend à contre-voie.

—Eh! là-bas, pas de ce côté, grogna un facteur avec des gestes furibonds, voulez-vous que je vous f..... un procès-verbal, b..... d'animal?

Le poète hausse les épaules et repart. Dans la petite cour de la gare, Jacques aperçoit l'humble voiture à deux roues qu'il connaît bien, et à laquelle est attelée, morose et courbant la tête, la célèbre Piga, la vieille jument légendaire et débonnaire que le futur empereur du monde enfourchait aux jours de sa première jeunesse. Le bon Pierrille tient la bête par la bride, dans l'attitude du respect et de la désolation.

—Bonjour, Pierrille, mon père est-il souffrant?

—Notre Monsieur est toujours bien fatigué ces jours-ci, mais il n'est pas couché.

—Tout le monde va bien, autrement?

—Oui, notre Monsieur.

—Et Jeannette aussi?

—Oui, notre Monsieur.

—Et Éva?

—Oui, notre Monsieur. Elle sera bien contente de vous voir... je suis sûr quelle vous reconnaîtra.

—Et vous, mon bon Pierrille, vous avez l'air tout triste.

—C'est qu'on nous a dit que notre Monsieur avait été bien malheureux à Paris.

—Que voulez-vous, mon pauvre, je vais tâcher maintenant d'être heureux par ici.

Le visage du vieux serviteur s'illumina:

—Notre Monsieur va rester ici?

—Mais oui... Pierrille, ça vous fâche-t-il?

—Oh! que non pas!... toujours?

—Toujours, je ne vous quitte plus.

—Alors, ce malheur qui vous est arrivé est bien heureux.

—Certainement, mon bon Pierrille, je pense comme vous.

La malle de Jacques fut chargée sur le cabriolet, et l'équipage se mit en route à un tout petit trot languissant et minable. Piga avait vingt-cinq ans.

—Je lui ai pourtant donné trois litres d'avoine ce matin, observait Pierrille.

Jacques remarqua que son conducteur faisait un assez long détour pour éviter la bourgade.

—Notre Monsieur, dit Pierrille, m'a recommandé de ne pas traverser la rue, parce que la jument est devenue très peureuse.

Mérigue considéra l'honnête rosse, et comprit que son père avait redouté de montrer aux habitants du village l'ignominie de son pauvre enfant.

Il eut un sourire rempli d'amertume.

Après une heure environ on déboucha dans le vallon de Mérigue. Le temps était splendide, et le vieux repaire noble, blotti là-bas sous la verdure, semblait sourire au voyageur. On rencontra un métayer qui salua gravement. La voiture quitta la route publique pour s'engager dans l'avenue étroite et raboteuse qui conduit à Mérigue. Là, il fallut renoncer à tout simulacre de trot. La vieille jument gravit la côte ardue avec l'allure d'un cheval de corbillard. Personne au loin dans la campagne verte, personne devant l'habitation dont on n'était plus éloigné que de quelques centaines de pas.

—Notre Monsieur ne nous attendait pas aussitôt, observa Pierrille; Piga a marché plus vite qu'à l'ordinaire, elle n'a mis que cinq quarts d'heure à faire ses deux lieues.

Tout à coup Jacques aperçoit le vieux comte qui vient à son avance à pas lents, ses cheveux blancs rayonnent au soleil comme un diadème de vertu et d'honneur. Dès que le fils voit son père il saute à bas du cabriolet et court à lui. Joseph ouvre ses bras et étreint Jacques sur son coeur.

—Maman va bien, mon père?

—Oui, mon enfant, elle t'attend dans sa chambre; elle craint un peu la chaleur.

—Et Marianne, et Mathilde, et ma chère Jacqueline?

—Tout notre petit monde est en bonne santé.

Marianne prépare son déjeûner, Mathilde fait le catéchisme aux petits métayers, Jacqueline est occupée à arranger ta chambre. Nous sommes tous bien heureux de te revoir, mon fils.

Quelques minutes après Jacques embrassait sa mère qui pleurait en silence.

—Allons, Caroline, dit le comte, soyons un peu plus gais, suivons l'exemple du soleil.

Les trois soeurs accouraient dans l'appartement. Toutes avaient les paupières bien rouges, mais chacune s'efforça de dire une parole alerte, faisant diversion aux tristes pensées qui étreignaient tous les coeurs.

—Viens vite voir ta chambre, mon petit frère, disait Jacqueline, je l'ai nettoyée à fond et je l'ai remplie de fleurs.

—Moi, j'y ai mis une belle gravure représentant ton patron saint Jacques, ajouta Mathilde.

—Pour moi, dit Marianne, j'ai pensé que tu aurais faim en arrivant, et suivant mon habitude, j'ai soigné la cuisine. Tu auras deux plats que tu aimes bien.

La gentille Éva, de son côté, n'était pas en reste de prévenances avec son maître, elle lui léchait les mains en poussant des cris et des aboiements joyeux. Jeannette avait quitté sa cuisine, et se tenait au seuil extérieur de la chambre, tout inquiète et n'osant pas entrer.

—Bonjour, ma bonne Jeannette! lui cria Jacques, il paraît que vous m'avez préparé un bon déjeuner. Merci.

Après les premières effusions passées et en attendant que le repas fût servi, Jacques prit le vieux comte à part:

—Avez-vous une lettre de M. l'abbé de la Gloire-Dieu?

—Non, mon fils.

—Il doit vous écrire ce qu'il pense de moi.

—Je n'ai rien reçu, mon pauvre enfant.

—Ce sera peut-être pour aujourd'hui, dit Jacques sans y croire.

Le poète ouvrit ensuite sa malle, où il avait un petit souvenir à l'adresse de chaque personne: une épingle de cravate pour son père, un chapelet pour sa mère, un couteau à papier, une gravure du Sacré-Coeur et une boîte d'enveloppes chiffrées pour Marianne, Mathilde et Jacqueline. Jeannette reçut un mouchoir de tête et Pierrille une petite lanterne sourde.

Le repas fut morne et silencieux, malgré les efforts de chacun, les paroles expiraient sur toutes les lèvres.

Au dessert on annonça le facteur.

—C'est le meilleur moment de notre journée rurale, observa le vieux Mérigue. Le facteur est le Messie quotidien des campagnards.

—Une lettre de Paris! s'écria Jacqueline, elle est pour papa.

—Donne vite, ma fille, dit le comte impatient.

Joseph de Mérigue parcourut lentement la missive, et quand il l'eut terminée, leva les bras au ciel dans un mouvement d'enthousiasme.

—PAROISSE SAINT-BARTHELEMY, PARIS.

«Monsieur le Comte,

«J'accomplis ici un devoir sacré en prenant la plume pour disculper entièrement M. votre fils de l'accusation qui pèse sur lui. M. votre fils a été victime d'une machination abominable.

«Pour repousser victorieusement les imputations dirigées contre lui, il eût fallu qu'il consentît à compromettre de hautes personnalités qui lui étaient sympathiques. Ce coeur généreux et magnanime a préféré succomber sous le poids de la calomnie. Je suis autorisé à vous faire cette confidence, Monsieur le Comte, par le principal auteur des malheurs de Jacques, qui a eu, trop tard, hélas! l'âme touchée de repentir et de remords. Donc, et vous me permettrez d'insister très énergiquement sur ce point, non seulement ce jeune homme est innocent, mais encore est-il un des rares survivants de ces anciens chevaliers de l'honneur qui poussaient le culte de leur foi jusqu'au sacrifice de leur personne.

«Si vous désirez, Monsieur le Comte, l'expression entière et catégorique de mon opinion appuyée sur les faits, je vous dirai: Jacques de Mérigue est plus qu'un héros, c'est presque un saint.

«Agréez, Monsieur le Comte, l'expression de mon respectueux dévouement en N.S.J.-G.

«CHRISTIAN DE LA GLOIRE-DIEU,

«VICAIRE A SAINT-BARTHELEMY.»

Toute la famille de Mérigue se précipita les bras ouverts sur son représentant.

Les larmes longtemps comprimées s'échappèrent par torrents de tous les yeux, mais c'étaient maintenant des larmes de joie. Sans songer davantage à la ruine matérielle et à l'avenir perdu, tous étaient glorieux de ce fier rejeton de leur race, qui avait immolé sans hésiter sa renommée et sa fortune, pour conserver sa propre estime et demeurer un gentilhomme.

Après le coucher du soleil, Jacques prit le bras de sa jeune soeur, voulant rêver un peu sous la fraîcheur du crépuscule.

—Où allez-vous, mes enfants? demanda doucement Mme de Mérigue.

Son fils lui montra le ciel tout brillant d'astres vers lequel il semblait monter par le sentier du coteau. Puis il répondit avec un sourire mélancolique:

—A la conquête des étoiles!...

FIN

Milton Keynes UK
Ingram Content Group UK Ltd.
UKHW050637070823
426447UK00010B/622